2030 부의시작

들어가는 글

'서울영테크'에서 지난 3년간 500명이 넘는 청년들과 상담했습니다. 2030 청년들의 다양한 인생과 재무적인 어려움, 꿈과 희망을 동시에 보았습니다.

우리는 좋은 대학, 좋은 기업에 들어가기 위한 교육만 받았을 뿐, 실물경제나 금융, 투자, 부동산 등에 대해서 제대로 된 교육을 받은 적이 거의 없습니다.

경제나 금융에 무지한 분들이 너무 많고, 스스로의 재무적인 상황을 파악하고 계획을 세워보거나, 건전한 투자, 자산배분을 하는 분들이 거의 없습니다. 아예 관심이 없거나, 혹은 너무 투기적으로 운용하거나, 극단적인 경우가 많습니다.

But, 청년세대는 아직 시간이 많고 기회가 남아 있습니다.

'시간'이야말로 청년세대가 가진 가장 값진 자산입니다.

청년세대가 가진 '시간'과 이 책의 '노하우'가 시너지를 일으켜서 스스로 재무상황을 파악하고, 계획을 세우며, 투자에 성공해서, 착실히 자산을 쌓아가는데 도움이 되었으면 좋겠습니다.

전반적인 경제와 금융의 기초, 돈 관리, 투자, 자산배분 등 2030 청년들이 꼭 알아야 하는 내용들만 추려서 실었습니다.

자연스럽게 대화하는 방식으로, 경제나 투자에 대해서 잘 모르는 분이라도 최대한 이해하기 쉽게끔 구성하였습니다.

유정, 현수, 슬기, 성준, 모두 가상의 인물이지만, 우리 주변 어딘가에 실제로 있을 것 같은 친숙한 캐릭터이기에 더 공감이 가고 현실적으로 느껴지리라 생각됩니다.

이 책의 인물들이 자신감과 용기를 얻은 것처럼, 실제 이 책을 읽는 독자분들도 희망을 가질 수 있으면 좋겠습니다!

책의 모티브이자 제 투자원칙은 '조금씩, 천천히, 꾸준히' 입니다.

'조금씩' 돈에 관심을 가지고, '천천히' 투자경험을 쌓고,

'꾸준히' 자산을 쌓다보면, 각자 원하는 재무목표들을 잘 이룰 수 있을 꺼라 생각됩니다.

순서와 관계없이 마음에 드는 챕터부터 읽으셔도 무방합니다.

책을 읽는 모든 분들이 5년, 10년 뒤에 더 경제적으로 풍요롭고 무엇보다 마음에 여유와 기쁨, 행복이 가득할 수 있기를 진심으로 기원합니다.

제1장 : 100억 부자의 조언

기욱 : 반갑습니다. 여러분~ 환영합니다.

저는 여러분의 그룹상담을 맡게 된 설기욱 상담사입니다.

서울시에서 청년분들의 돈 관리와 재무상담을 하고 있고요.

개인적으로는 미국주식 스터디 모임장을 하고 있고,

5년후 경제적자유를 목표로 하고 있는 파이어족이기도 합니다.

첫 시간이니까, 각자 간단히 소개 해볼께요.

유정 : 안녕하세요? 김유정입니다. 26살이고 이번에 취업했어요.

아직 첫 월급도 타기 전인데요. 어떻게 월급관리를 해야할지 몰라서

신청하게 되었습니다!

돈 관리나 경제, 투자에 대해선 정말 아무것도 몰라요. 헤헤.

나중에 저도 경제적자유 이루고 싶어요!

현수 : 안녕하세요. 이현수라고 하고, 28살입니다.

취업한지 3년 되었는데, 사실 제대로 돈을 못 모으고 있어요.

투자도 친구들 말 듣고 했다가.. 무서워서 지금은 안하고 있고요.

이번 기회에 착실하게 돈도 모아보고 싶고,

투자기초도 배워보고 싶습니다.

슬기 : 안녕하세요? 김슬기라고 합니다.

지금은 31살. 병원에서 일하고 있고요, 일 한지는 5년정도 되었어요.
그래도 나름 돈을 열심히 모았다고 생각하는데.. 주식이랑 코인에 투
자했다가 손해가 많이 났어요.. 손실난 투자를 어떻하면 좋을지와..
앞으로의 투자방향 관련해서도 많이 배우고 싶어요.

성준 : 안녕하세요? 제가 나이가 제일 많네요. 34살이고요.
최성준이라고 합니다. IT 개발자고, 지금은 독립해서 프리랜서로 일하
고 있어요. 여지껏 모아놓은 돈을 어떻게 운용해야할지 몰라서 신청
하게 되었습니다. 내년에 결혼예정인데.. 이 부분에 대해서도 조언을
듣고 싶습니다.

기욱 : 반갑습니다. 나이도, 재무적인 상황도 모두 다르겠지만..
공통점이 있다면 돈에 대한 고민을 덜어내는거겠죠?
지금부터 돈을 잘 관리할 수 있는 노하우와 투자개념, 방법
장기적인 자산배분의 방향성까지, 차근차근 알아보도록 할께요!
다들, 부자 되고 싶으시죠?

일동 : 네!!~
기욱 : 제가 확실히 부자가 될 수 있는 방법을 알려드릴께요.
이렇게 하면 무조건 100% 부자가 될 수 있어요.
유정 : 오오!! 어떻게 하면 될까요?
기욱 : 부자되는 가장 손쉬운 방법은..

일동 : (꼴깍…)

기욱 : 바로.. 부자와 결혼하는 것.

일동 : 에에??

기욱 : 좀, 썰렁했나요? ; 농담이었습니다.

물론 여기 계신 분들은 부자와 결혼할 수 있다고 해도,

돈 보다는 사랑을 택할꺼잖아요? 그렇죠?

유정 : 네네. 맞아요! 돈보단 당연히 사랑이죠!

슬기 : 음.. 저는 고민 좀.. (웃음)

기욱 : 자, 이제부터 진짜입니다.

배우자가 아닌 우리 스스로 부자가 되는게 중요하잖아요.

스스로 부자가 될 수 있는 방법 3가지를 알려드릴께요.

<부자가 될 수 있는 3가지 방법>

1. 자산을 잘 불린다 (투자)

2. 돈을 잘 모은다 (저축)

3. 돈을 잘 번다 (소득 높이기)

기욱 : 이 중에서 가장 중요한 건 어떤걸까요?

성준 : 음, 아무래도 1번. 투자 아닐까요?

슬기 : 일단 잘 모으는게 가장 중요할 것 같아요.

현수 : 소득을 늘린다?

유정 : 모르겠어요. 다 중요한 것 같은데..

기욱 : 사실.. 딱히 정답은 없습니다.

유정님 말대로 셋 다 모두 중요하지만..

제 생각에는 나이에 따라서 중요도가 조금씩 다른것 같아요.

혹시 근로소득과 자본소득 중에 뭐가 더 큰지 아시는분?

슬기 : 음, 자본소득?

기욱 : 맞습니다. 자본소득이 훨씬 크죠. 하지만 여기 계신분들 인생 전체로 보면 그게 맞지만.. 지금 당장은 아니에요.

유정 : 네???

기욱 : 예를 들어 유정님이 1~2년 뒤에 열심히 돈을 모아서 3천만원을 만들어 투자했다고 가정해볼게요. 다행히 수익이 잘 나서 1년 후에 10%의 수익이 났어요. 이때 자본소득은 얼마일까요?

유정 : 3천만원의 10%면.. 300만원?

기욱 : 맞습니다. 한 해에 자본소득이 300만원.

반면 유정님이 1년간 일해서 벌 수 있는 근로소득은 얼마일까요?

유정 : 세금 떼고 230만원 정도 되니까 1년이면 2,700만원요.

기욱 : 그럼 근로소득과 자본소득 중 어떤게 더 큰가요?

유정 : 아아? 당장은 근로소득이 더 큰거군요?

기욱 : 네, 사실 2030세대는 아직 모아 놓은 자산의 규모가 크지 않잖아요? 투자수익률 1~2% 차이로 인생이 바뀌진 않아요.

지금은 투자수익률보다 투자원금 자체를 키우는게 더 중요해요.

즉 투자보다는 일단 돈을 잘 벌고, 잘 모으는게 중요하단 뜻이에요.

나 이	28살	48살
모은돈	3,000만원	6억원
근로소득	3,000만원	5,000만원
자본소득	300만원	6,000만원

물론 나중에 40~50대가 되면, 자산의 규모가 커지면서
투자해서 자산을 불리는게 더 중요해질수도 있기 때문에
지금부터 투자에 대한 공부와 경험은 꼭 쌓아야해요.

유정 : 오오!! 네네!

기욱 : 그럼 돈을 잘 벌고 (소득을 높인다)
잘 모으는 것(저축을 잘 한다) 중에선 뭐가 더 중요할까요?
역시 정답은 없겠지만, 그래도 잘 버는게 더 중요한것 같아요.

일단 돈을 많이 벌어야 그 안에서 잘 모을 수도 있는거잖아요?
게다가 청년세대는 일할수 있는 시간이 많이 남아 있기 때문에,
역시 본업에서 성공하고 몸값을 올리는게 가장 중요한것 같아요.

사실 아무리 소비를 잘 관리하고 돈을 잘 모은다해도 저축하는데는
한계가 있어요. 200만원을 버는데 한달에 20만원만 쓰고, 나머지
90%를 모을 순 없잖아요? 반면 소득은 경력이 쌓이고 시간이 지날
수록 계속 올라가죠? 지출을 줄이는데는 한계가 있지만, 소득을 올
리는데는 한계가 없는거에요.

성준 : 맞습니다. 친구들만 봐도 벌써 소득 격차가 커지는게 보여요.

현수 : 역시, 몸값을 올리는게 제일 중요하군요.

\<부자가 되기 위한 방법 3가지\>

1. 본업에 집중해서 소득과 몸값을 올리는 것
2. 번 돈을 잘 관리해서 모으는 것
3. 모은 돈을 잘 투자해서 불리는 것

기욱 : 그렇다고 제가 본업에서 성공하고, 몸값을 올리는 법을 알려
드릴 순 없고요. 각자 번 돈을 잘 관리해서 모으는 법과
투자로 자산을 불리는 방법에 대해 알려 드릴께요!
일동 : 네! 좋아요!!

\<매월 200만원씩 5%적금시 이자\>

원금 : 24,000,000원

세전이자 : 650,000원

이자과세 : -100,100원 (15.4%)

세후이자 : 549,900원

기욱 : 보다시피 매월 200만원씩 저축해도, 1년후 세금을 제외하면
실제로 받는 돈이 60만원도 되지 않아요. 혹시 매월 200만원씩 저축
하고 계신분이 있을까요?
일동 : …‥ 아니요…
기욱 : 저도 500명이 넘는 청년분들과 상담했지만..
한 달에 200만원씩 저축하는 분은 거의 보지 못했어요.
1년에 60만원을 번다는게 정말 쉽지 않은거에요.

유정 : 정말 그렇네요..

기욱 : 하지만 이렇게 생각해볼께요.

만약 한달에 5만원씩 절약하면.. 1년이면 얼마일까요?

슬기 : 60만원?

기욱 : 그렇죠. 한 달에 5만원씩만 절약하면 1년이면 60만원.

그럼 매월 200만원씩 저축하는것보다 오히려 나은거죠?

월 200만원	저축	1년	55만원
월 5만원	절약		60만원

현수 : 와~ 이렇게 보니까 진짜 그렇네요.

기욱 : 매월 200만원씩 저축하는 것과

매월 5만원씩 절약하는것 중, 어느쪽이 쉬울까요?

유정 : 5만원씩 절약하는거요!!

기욱 : 네. 맞습니다. 돈을 모으는 방법은 심플해요.

안쓰면 됩니다. 장기적으로는 소득을 올리고, 투자도 중요하겠지만

지금 당장 할 수 있는 최고의 재테크는 돈을 안 쓰는거에요.

소비, 지출을 잘 관리해야, 돈을 잘 모을 수 있어요.

혹시 시드머니란 말 들어보셨나요?

현수 : 네. 투자할 수 있는 종자돈?

기욱 : 네, 종자돈이죠. 꼭 시드머니를 모아야만 투자할 수 있는건

아니지만, 어느정도 의미있는 규모의 시드머니를 최대한 빨리 만드는

게 청년분들께는 정말 중요한 것 같아요.

여기 나욜로와 김짠순, 입사동기 두 사람이 있어요.

이름에서 성향이 나오죠? 같은 월급이지만 나욜로는 흥청망청 돈을 써서 매월 20만원씩 저축했고, 김짠순은 알뜰히 돈을 모아서 매월 120만원씩 저축했어요.

입사동기	나욜로	김짠순
월저축액	20만	120만
3년후자산	720만	4,320만

3년뒤 두사람의 자산은 각각 720만원과 4,320만원.

이 돈이 두 사람의 시드머니에요. 차이는 3,600만원.

두 사람이 여기서 더이상의 추가저축 없이, 이 돈만 가지고 투자했다고 가정하면 향후 자산이 어떻게 변할까요?

투자수익률은 동일하게 연 8%로 계산했어요.

<입사동기 두 사람의 자산추이>

입사동기	나욜로	김짠순
월저축액	20만	120만
3년후자산	720만	4,320만
10년후	1,590만	9,580만
20년후	3,540만	2억1천만
30년후	7,870만	4억7천만
50년후	3억8천만	23억2천만

기욱 : 시간이 지날수록 두사람의 자산격차가 벌어지죠?
30년후 거의 5억, 50년후에는 무려 20억 차이..
인생이 달라진다고해도 과언이 아니잖아요?
유정 : 와.. 20억.. 차이가 너무 커요.
기욱 : 처음 시작은 딱 3년간, 월 100만원의 저축차이였어요.
딱 3년간 모은 돈으로만 계산한거니, 만약 두 사람의 소비습관이 변하지 않는다면 미래의 자산격차는 더 커지겠죠.
현수 : 저는 그동안.. 나욜로로 살았네요..

성준 : 그런데 연 8% 수익은.. 너무 높은거 아닌가요?
기욱 : 네, 물론 연 8% 수익을 꾸준히 낸다는게 쉬운 일은 아니죠.
하지만 지난 수십년간 미국 주식시장의 연평균 수익률이 10% 정도였으니, 연 8% 수익이 아주 비현실적인 가정은 아니에요.
슬기 : 저는.. 연 30~40% 수익을 목표로 했는데..

기욱 : 목표수익률은 뒤에 투자파트에서 다시 설명 드릴께요.
어쨌든 이 시드머니의 중요성에 대해서는 제가 20년전에
실제로 100억 부자에게 들은 이야기가 있어요.
유정 : 100억 부자요???
기욱 : 네, 20년전 대학생때, 호텔 레스토랑에서 아르바이트를 한 적이 있는데요. 어느날 100억대의 부자가 왔어요.
VIP룸에 후배들 10명쯤을 모아놓고 자기가 어떻게 100억 부자가 되었는지 이야기하는 자리였어요.

시급 4천원의 알바생이었던 저는 100억이라는 말에 놀라서 서빙을 하며 열심히 이야기를 엿들었죠.

그 100억 부자가 젊은시절 첫 종자돈 천만원을 모으기가 너무 힘들었는데, 일단 천만원을 모으니 1억을 모으는건 그전보다 조금 수월했고, 1억을 모으니 10억을 모으는건 더욱 쉬웠고,

10억을 모으니 100억은 그냥 저절로 모아졌다는 이야기였어요.

성준 : 와… 20년 전에 100억이면 엄청나네요..

기욱 : 당시 저는 어떻게 천만원을 100억으로 만들었을까?
너무 궁금했지만.. 첫 종자돈 천만원을 모으기까지 보증금도 없는 반지하 삭월세 방에서 끼니도 거르며 너무 힘들었다는 다소 라떼스러운 이야기만 길게 하는 바람에.. 결국 서비스가 끝나서 방을 나와야 했고, 이야기의 뒷부분을 들을수 없었죠.

유정 : 아..

기욱 : 당시엔 너무 아쉬웠지만.. 지금 20여년이 지나고 생각해보니 그날 100억대의 부자가 후배들에게 말하고 싶었던건
'어디에 투자해야 100억을 모을 수 있는지'가 아니었던 것 같아요.

유정 : 네???

기욱 : 아마도 진짜 후배들에게 조언해주고 싶었던 건
'어떻게든 아끼고 아껴서 시드머니부터 모아라!'
이거였던 것 같아요. 그래서 첫 종자돈 천만원을 모으기까지의 고생스러운 과정을 그렇게나 길게 이야기했겠죠.

사실 꼭 그 100억 부자뿐 아니라, 그 후에 제가 만난 부자나 언론매체에 나오는 자산가들이 청년세대에게 권하는 첫 번째 조언은 대부분 비슷해요. "어떻게든 아끼고 아껴서 시드머니부터 모아라!"

저는 40대 중반인데요, 제 주변 친구들을 둘러봐도 20대나 30대초반에 돈을 펑펑 쓴 친구들과, 그 때부터 열심히 돈을 모아서 투자한 친구들은 지금 자산규모의 차이가 상당하거든요. 시간이 지날수록 이 차이는 더 심해질꺼에요.

20대~30대중반, 혹은 결혼해서 아이를 낳기 전까지가, 돈을 모으기 가장 좋은 시기에요. 이때 바짝 모은 시드머니가 평생의 부를 좌우한다는걸 꼭 명심해주세요!
성준 : 실제로 100억 부자에게 들으셨다고 하니 더 와닿네요.
현수 : 네, 저도 빨리 돈을 모아보고 싶은 생각이 듭니다.
유정 : 저도요!! 일단은 시드머니 빨리 모으기. 메모메모.

슬기 : 그래도 좀 아쉬워요. 어떻게 100억까지 불렸는지? 궁금한데..
기욱 : 20년전 그 100억 부자가 레스토랑에 왔던 날
일이 끝난 후 같이 일했던 직원들에게 물어봤어요. 알바생인 저와 달리 정직원들은 계속 그 VIP룸에 들어갈 수 있었거든요.
그 부자가 어떻게 100억을 모았는지? 들었냐고 물었죠.
유정 : 오오.. 그래서요?

기욱 : 그러자 직원들이 하나같이 "100억이라니 무슨소리야??"
황당한 얼굴로 저에게 되묻더라고요.

유정 : ??? 뭐에요???

기욱 : 그 날 저 말고는 다들 서빙만 열심히 했을뿐,
그 부자의 100억 이야기에 관심을 기울인 사람이 없었던거에요.
100억 부자의 이야기를 들은 사람은 오직 저 뿐이었요.

현수 : 아…

기욱 : 어쩌면 최대한 빨리 시드머니를 모으는것보다
더 중요한것은 일단 돈 관리나 투자에 관심을 갖는 거에요.
'사랑의 시작도 관심을 가지는 것'이란 말이 있듯이
'부자의 시작도 결국 돈에 대해 관심을 가지는 것'입니다.

< 3줄요약>

1. 본업에 집중해서 몸값을 올리는게 가장 중요
2. 아끼고 아껴서 최대한 빨리 '시드머니'를 모으자!
3. 돈 관리와 투자에 일단 관심을 가지자

기욱 : 물론 그 100억 부자의 젊은시절처럼
끼니도 거르고, 반지하 삭월세 방에서 살 필요까진 없겠지만..
그래도 시드머니를 빨리 모으려면 결국 지출을 잘 관리하는게 중요
하거든요. 다들 지출관리 잘 하고 계실까요?

현수 : 아니요. 그게 제일 문제입니다.. 하하..

유정 : 저도 지출관리? 어떻게 해야할지 전혀 모르겠어요..

기욱 : 다들 소득대비 저축률이 어느정도 되세요?

슬기 : 전 그래도 월급의 절반 정도는 모으고 있는것 같아요.

현수 : 와 절반요?? 저는.. 10%도 못 모으는 것 같은데..

어쩔때는 오히려 적자예요. 카드값 때문에..

성준 : 전 프리랜서라 돈 들어오는게 불규칙적이라..

따로 파악하기가 힘든 것 같습니다. 대략 20~30% 사이 될까요?

유정 : 아직 첫 월급도 받기 전이라..

절반정도 모아보려고 마음은 먹고 있는데..

기욱 : 돈 관리는 슬기님이 잘하고 계시는군요.

일단 미혼이라면 슬기님처럼 소득의 50%, 절반 정도는 모으라고 권해드리고 있어요. 물론 저축률에 정답이 있는건 아니에요.

각자의 사정에 따라서 다르거든요. 부모님 집에 계신 분은 저축이 쉽겠지만, 독립하신 분은 아무래도 저축이 좀 더 어렵죠.

현수 : 맞아요. 월세내고 나면 남는게 없어요..

기욱 : 저축률에 정답이 있는건 아니지만.. 어떻게 하면 효율적으로 지출을 잘 관리하고, 저축을 늘릴 수 있는지?

그 노하우에 대해서 알려드리도록 할께요.

유정 : 네! 저도 너무 궁금해요!

제2장 : 지출관리와 저축목표

기욱 : 혹시 슬기님은 지출관리의 노하우가 있으실까요?
슬기 : 음.. 따로 있는건 아닌데.. 일단 저는 가계부를 써요.
어플로 한 달에 한 번 정도는 내가 어떤 항목으로 얼마나 썼는지?
체크하는 편이에요.

유정 : 오오. 가계부. 어플활용. 메모메모
기욱 : 가계부를 쓰 것도 좋은 방법입니다.
하지만 가계부는 후행적이죠. 이미 돈을 쓴 다음에 체크하는거잖아요
. 가장 좋은 방법은 미리 지출예산을 짜보는 거에요.

유정 : 예산이요??
기욱 : 쉽게 말해서 돈을 얼마나 쓸지? 미리 계획해보는거죠.
임대료, 생활비, 교통비, 핸드폰비, 외식비, 보험료, 용돈 등
대략 한달에 얼마를 쓸지 작성해보는거에요.
만약 급여가 250만원인데, 한달 지출예산이 120만원이라면
저축 및 투자할 수 있는 돈은 130만원이겠죠?
급여가 들어오면, 저축 및 투자할 돈 130만원을 먼저 빼놓고,
그 다음 남은 120만원으로만 생활하는거에요.

세후급여	250만원
1. 저축	130만원
2. 지출	120만원
저축률	52%

기욱 : 일명 선저축, 후지출이라고 하지요.

슬기 : 오, 맞아요. 저도 거의 저런 식으로 하고 있어요.

유정 : 아, 먼저 저축할 돈을 빼놓는다. 메모메모.

현수 : 저랑 반대네요. 전 월급날 카드값 나가면 남는게 없는데..

기욱 : 아.. 꼭 현수님만 그런건 아니고 다들 비슷하세요.

이제부터 잘 관리하면 됩니다.

신용카드 사용에 대해서도 뒤에 다시 설명드릴께요!

이런식으로 예산을 미리 세우고,

저축하고 남은 돈으로만 생활하면 지출관리가 너무 쉬워보이지만..

세상 일이 그렇게 단순하게만 돌아가진 않죠?

막상 이렇게 관리하면 아마 돈이 부족한 경우가 많을꺼에요.

왜냐하면 우리가 돈을 쓰는게 매월 똑같지 않거든요.

1) 임대료, 관리비, 휴대폰요금, 보험료, 대출이자

2) 생활비, 쇼핑, 외식비, 여가생활, 개인용돈

3) 휴가비, 여행비, 기념일비용, 경조사비, 겨울옷 구매

기욱 : 이 3가지 지출은 어떤 어떤차이가 있을까요?

현수 : …. 글쎄요…

슬기 : 고정지출, 변동지출 뭐 그런건가요?

기욱 : 네, 맞습니다. 우리가 쓰는 돈이 매월 똑같다면 예산을 세우고 관리하기에 너무 편하겠죠. 하지만 그렇지 않잖아요?

고정지출	임대료, 휴대폰, 보험료, 대출이자	일정함
변동지출	생활비, 외식비, 쇼핑비, 용돈	비교적일정
계절성지출	휴가비, 여행비, 기념일, 겨울옷	불규칙함

기욱 : 보다시피 임대료, 휴대폰, 보험료, 대출이자 등 고정지출은 매월 쓰는 돈이 똑같아요. 얘네는 신경쓸거 없어요. 생활비, 외식비, 쇼핑비, 용돈 등은 매월 쓰는 돈이 다르지만 그래도 어느정도 관리하면 비슷하게 맞출 수 있겠죠?

하지만 휴가비, 여행비, 기념일, 경조사, 겨울옷 구매 등은 매달 필요한게 아니라 가끔씩 목돈이 나가잖아요? 이런 계절성지출 때문에 지출을 관리하기가 쉽지 않아요.

슬기 : 맞아요. 명절이나 기념일에 선물을 사거나, 겨울에 비싼 코트 한 벌만 사도 몇 십만원이니까요.

성준 : 자동차보험도 1년에 한 번 목돈이 나가니까.. 갑자기 낼려니 부담 되더라고요.

기욱 : 네. 맞습니다. 그래서 예산을 세울때, 이런 계절성지출을 구분해서 작성하면 좋아요.

계절성지출은 매월 필요한 돈이 아니기 때문에,

1년 합산금액으로 작성하면 조금 더 수월해요.

물론 월 평균금액으로 대략 작성해도 관계는 없습니다.

계절성지출 (1년 합산금액 기입)					
피복비 미용(1년)		세금 자동차(1년)		기타지출(1년)	
겨울의류	500,000	재산세		명절	100,000
신발	200,000	주민세		기념일비용	300,000
피부관리	200,000	자동차세금		휴가비	300,000
병원비	50,000	자동차보험		경조사비	600,000
안경,렌즈		자동차소모품		여행비	600,000
				기타비용	150,000
합계	950,000	합계	0	합계	2,050,000

기욱 : 이건 임의로 1년간 계절성 지출계획을 작성해본거에요.

1) 겨울의류, 신발, 피부, 병원비 등 피복 및 미용쪽과

2) 1년에 한 번씩 내야 하는 세금 및 자동차 비용

3) 휴가비 및 경조사, 기념일 같은 기타지출, 3가지로 구분했어요.

1) 피복비 및 미용으로 1년에 95만원

2) 세금 및 자동차 비용은 없음

3) 기념일 및 휴가비용 등 1년간 기타지출 205만원

계절성지출 합계는 95만원+205만원=300만원

1년 합산금액이니 한달 단위로 나누기 12개월하면 월 25만원.

월 평균 계절성지출 금액은 25만원이 되는거에요.

월단위지출					
고정지출(月)		주거생활비(月)		식비(月)	
보장성보험	50,000	임대료		외식비	200,000
휴대폰요금	35,000	관리비		마트	100,000
인터넷	15,000	가스,전기		편의점	60,000
대출이자		생필품		점심식대	
대출원리금					
합계	100,000	합계	0	합계	360,000

문화생활비(月)		교통유류비(月)		기타지출(月)	
영화,공연	50,000	대중교통	90,000	용돈	200,000
취미,운동	50,000	차량유류비		교육비	50,000
모임회비		주차비		화장품	30,000
구독요금	20,000	기타교통비		건강식품	
합계	120,000	합계	90,000	합계	280,000

기욱 : 이건 월 고정지출과 변동지출 예시에요.

주거비용을 구분하기 위해서 임대료와 관리비만 고정지출에서 따로
분류해놨어요. 보험료, 휴대폰, 인터넷 등 고정지출은 월 10만원.

식비(36만), 문화생활비(12만), 교통비(9만), 기타지출(28만)을 합한
변동지출 합계는 월 85만원.

소득 250만원에서 고정지출 10만원, 변동지출 85만원,

(월)계절성지출 25만원을 뺀 저축 가능금액은 130만원,

소득대비 저축률은 (130만/250만) = 52%가 되는거에요.

유정 : 아? 이런식으로 작성하는거군요?

기욱 : 네, 이런식으로 예산을 미리 세워놓으면

내가 매월 얼마를 쓰고, 얼마를 저축할 수 있는지?

조금 더 구체적으로 파악하고 계획을 세울 수 있겠죠?

세후급여	250만원
1. 고정지출	-10만원
2. 변동지출	-85만원
3. 계절성지출	-25만원
총지출금액	-120만원
저축금액	130만원

유정 : 와! 네네 너무 좋습니다!

현수 : 혹시 양식을 받을 수 있을까요?

 기욱 : 네네. QR코드로 바로 공유 드릴께요.

구글 스프레드로 작성되어 있고요, 사본만들기로 마음대로 사용하면 됩니다.

이렇게 예산을 작성하면 이런순서로 통장을 관리해보세요.

\<통장관리 순서\>

1. 저축 및 투자할 돈 빼놓기

2. 고정지출 자동이체 출금

3. 변동지출 생활비 통장으로 빼놓기

4. 계절성지출 비상금통장으로 모으기

급여이체시	250만원
1. 저축할돈 출금	-130만원
2. 고정지출 출금	-10만원
3. 변동지출 출금	-85만원
계절성지출 출금	-25만원

기욱 : 예를 들어 급여 250만원이 들어왔을 때

1) 저축 및 투자할 돈 130만원을 저축통장으로 출금

2) 통신비, 보험료 등 고정지출 10만은 자동이체 출금

3) 변동지출 85만원을 생활비통장으로 출금

4) 계절성지출은 비상금통장에 조금씩 모아놓고 필요한 일이 생길때
마다 비상금통장에서 바로 사용하면 됩니다.

기욱 : 여기서 핵심은 3가지에요.

1. 저축 및 투자할 돈 먼저 빼놓기

2. 변동지출은 생활비통장에 넣어놓고 그 안에서만 생활하기

3. 계절성지출은 따로 관리하기

가장 관리가 안되는게 생활비통장에 있는 변동지출인데요.

그래서 가급적 신용카드보다는 정해진 금액에 맞춰 체크카드를 사용
하는걸 권해드려요. 예를 들어 월초에 생활비통장에 85만원을 넣어
놨는데 20일쯤 됐을때, 생활비통장에 15만원밖에 남지 않았다면..

'아~ 이제 절약해야겠다'는 위기감이 들겠죠?

반대로 월말이 다가왔는데, 생활비통장에 돈이 꽤 남았다면?
비싼 것도 사먹고, 스스로에게 작은 선물도 하는거에요.

현수 : 아.. 정말 그렇네요. 날짜랑 생활비통장에 남은 금액을 보고,
더 절약할지, 쓸지를 판단할 수 있겠네요?

성준 : 그러게요. 카드값이 매달 다르게 나오는게 문제였는데..

기욱 : 이런식으로 어느정도 계획을 하고 돈을 쓰는 것과
아무생각 없이 그냥 돈을 쓰는 건 차이가 크거든요.

슬기 : 음.. 계절성지출 예산을 세울 때 1년합산 금액으로 적는게 쉬
운 일이 아닌것 같아요.

기욱 : 아마 처음 예산을 작성하실때는 좀 막막할꺼에요.
좀 더 쉬운 방법이 있는데.. 지출예산을 세우기에 앞서 먼저 저축금
액을 정하는거에요.

예를 들어 세후 소득이 250만원이라고 가정했을 때
'나는 130만원을 저축하겠다!'는 목표를 먼저 정하면
쓸 수 있는 돈은 자연스럽게 120만원이 되잖아요?
그럼 120만원에 맞춰 지출예산을 잡아보는 거에요.
아무래도 합계금액이 있으니까 계획을 세우기 조금 더 수월하죠.

유정 : 오오. 그게 훨씬 더 쉬울 것 같아요.
저는 세후소득이 230만원 정도니까 저축 목표는 130만원.
그럼 지출합계 100만원에 맞춰서 예산을 세워보면 되겠군요!

현수 : 저도 저축금액을 먼저 정하는게 편할 것 같아요.
다만 자취하고 있어서 소득의 절반을 모으긴 힘들고..
일단은 40%에 도전해볼께요. 40%에 맞춰서 지출예산 세워보기.

슬기 : 저는 지금도 50%를 모으고 있지만..
지출예산 작성양식을 보니까 제가 생각치 못했던 지출이 많은것 같아요. 다시 한번 꼼꼼히 예산을 세워서 조금 더 줄일 수 있는 부분이 있는지 체크해봐야 할 것 같아요.

성준 : 저도 지출예산을 세운다는 생각은 못했는데..
계절성지출을 구분해서 관리하는게 정말 도움이 될 것 같습니다.
안 그래도 그런 지출들 때문에 관리가 힘들었는데..
따로 통장을 분리해서 관리하는 방법이 있었군요.

기욱 : 네. 물론 꼭 이대로 똑같이 할 필요는 없어요.
통장을 따로 만들어도 되고, 아예 카드를 두개로 나눠서 사용해도 됩니다. 나에게 맞게끔 응용해서 각자 하면 되요.

그리고 처음부터 완벽한 예산을 세울순 없어요.
시행착오가 필요하죠. 저희는 기계가 아니잖아요?
그러니 한번 예산을 세우고 그걸로 끝이 아니라,
계획대로 저축과 지출을 잘하고 있는지? 꼭 체크해야 해요.
유정 : 네! 제대로 지켰는지 체크하기!

기욱 : 만약 지키지 못했다면, 어떤 부분에서 과한 소비가 있었는지?
반성의 시간을 가져야 해요. 너무 무리한 예산을 세운건 아닌지?
반대로 조금 더 저축의 여력이 있는건지?
점검하면서 조금씩 나에게 맞는 예산을 수정해가면 됩니다.

이렇게 하면 지출은 물론 저축금액도 알 수 있기 때문에
미래의 내 저축목표도 정할 수 있어요.
예를 들어 유정님이 아까 130만원씩 저축한다고 하셨는데
매월 130만원씩 3년간 모으면 원금만 4,680만원이 되잖아요?

3년동안 유정님 소득도 오를테고, 소득이 오르는만큼 저축도 늘어날
테니, 추가 저축액이랑 상여금, 은행이자, 투자수익 등을 감안해서
3년후 순자산 5천만원 모으기를 목표로 하는거죠.
유정 : 와~ 5천만원이요?

월저축액	130만원
3년후금액	4,680만
추가저축	320만원
저축목표	5,000만원

기욱 : 그냥 무작정 매월 얼마씩 모으는 것보다
이렇게 3년후 5천만원이라는 구체적인 목표를 정하면
아무래도 저축하는데 더 의지가 생기겠죠?
현수 : 와, 맞아요. 3년뒤 5천만원 하니까 정말 확 와닿네요.

유정 : 저도요. 그냥 5천만원은 막연해보이는데
매월 130만원씩 3년이면 모을 수 있네요?
기욱 : 네, 예전에 어느 수영선수가 장거리 횡단에 도전했는데
불과 800m 앞에서 포기하면서 했던 말이 있어요.

"짙은 안개 때문에 목표가 보이지 않았다. 만약 날씨가 좋아 목표지
점이 보였다면 반드시 포기하지 않고 완주했을것이다"
 - 플로렌스 채드윅

유정 : 아.. 목표가 정말 중요하군요.
기욱 : 네, 각자 3년 혹은 5년후 저축목표를 정해보세요.
현실가능하고 구체적인 목표가 있을 때, 달성할 확률도 높아집니다.
슬기 : 네! 저도 한번 세워볼게요.

<3줄요약>
1. 선저축, 후지출
2. 지출예산 세우기
3. 구체적인 저축목표 정하기!

기욱 : 아까 현수님이 카드값 이야기도 하셨는데..
개인적으로는 신용카드 사용을 그리 추천드리진 않습니다.
물론 신용카드가 매우 편리하고, 여러가지 혜택도 많고,
신용점수 관리에도 도움이 되는게 사실이지만,

그런 장점들보다 돈을 무절제하게 쓰게 된다는 단점이 더 큰 것 같아요. 아무래도 당장 통장에서 돈이 빠져나가지 않다보니.. 죄책감 없이 더 쉽게 돈을 쓰게 되죠.

현수 : 네.. 완전 공감합니다..

기욱 : 게다가 다음 달에 돈이 빠져나가니까, 생활비 통장으로 나눠서 관리하기에 조금 더 번거롭기도 하고요. 특히 사회초년생분들이나 아직 소비관리가 잘 되지 않는 분들은 일단 체크카드 사용을 권해 드립니다.

유정 : 저도 주변에서 신용카드가 좋다, 안 좋다, 이야기가 갈려서 고민했는데.. 일단은 체크카드를 사용해야겠네요.

기욱 : 그럼에도 신용카드를 사용해야 할 경우엔, 여러개의 카드를 사용하는것보다 1~2개의 카드만 사용하는게 유리합니다. 카드갯수가 많아지면 예산에 맞춰 지출을 관리하기가 더 힘들거든요.

성준 : 아.. 맞습니다. 지금도 카드가 5개가 넘다보니.. 뭐가 뭔지 저도 헷갈리더라고요.

기욱 : 카드 결재일도 중순쯤으로 맞추는게 좋습니다. 이건 카드회사마다 조금씩 다른데요. 1일~말일까지 딱 한 달치 요금이 결재될 수 있도록 결재일을 조정하는게 좋아요. 그래야 딱 월별로 카드요금을 관리하기 편하거든요.

슬기 : 아, 저는 카드결재일을 월급날 다음날인 5일로 해놨는데..

결재일을 바꾸는 방법이 있었군요! 좋은 팁이네요.

기욱 : 그리고 카드를 긁기 전에 한번 스스로에게 물어보세요.

'이게 꼭 나에게 필요한 소비일까?'

'혹시 다른 대안은 없는걸까?'

잠시 이런 생각을 하는것만으로도, 과소비를 꽤 막을 수 있어요.

유정 : 네!~ 카드쓰기 전에 스스로에게 물어보기.

기욱 : 지출예산을 세우는 법부터

통장관리, 저축목표를 세우는 방법까지 알려드렸는데,

제가 수백명이 넘는 청년분들과 상담해보니,

주로 많이 돈을 지출하게 되는 항목들이 몇 개 있더라고요.

저는 이것들을 일명 '지출 3대악'이라고 부르는데요.

유정 : 지출 3대악요??

기욱 : 네. 우리가 돈을 못 모으게 하고,

부자가 되는걸 막는 '지출 3대악'에 대한 내용과

어떻게 하면 현명한 소비를 할 수 있는지, 알려드릴게요!!

유정 : 네! 좋아요!!

제3장 : 부자가 되는걸 막는 3대악

기욱 : 앞서 이야기했던 내용을 간단하게 요약하자면
1. 본업에 충실하고
2. 지출을 잘 관리해서
3. 최대한 빨리 시드머니를 모은다

유정 : 네 맞아요. 본업! 지출관리! 시드머니!
지출은 예산을 세우고, 저축은 구체적인 목표를 세워라!
기욱 : 훌륭하십니다. 제가 500명 넘는 청년분들과 상담하면서 좀 안
타까웠던.. 청년분들의 시드머니 형성을 방해하는 일명 지출 3대악에
대해서 얘기해볼건데요.
첫 번째는 주거에 관련된 비용입니다.

현수 : 네 맞아요. 월세 때문에.. 돈 모으기 너무 힘들어요..
기욱 : 그렇죠. 하지만 주거에 관련된 비용이 꼭 월세만 있는건 아니
에요. 전세라면 전세대출이자와 보증보험료 등도 모두 포함해야 해요
. 만약 내집이 있다면 주거비가 들지 않을것 같지만.. 사실은 더 많이
들어요. 대부분 주택담보대출을 받았을테니 매월 나가는 대출 원리금

도 주거비용으로 봐야하고, 신용대출까지 받았다면 이에 대한 이자까지 포함해야 합니다.

게다가 내집이 있다면 재산세를 매년 납부해야 하고, 집 수리비와 화재보험, 보수비용 등도 모두 주거비에 포함해야 해요.

자가나 전월세 상관없이 매월 관리비나 전기세, 도시가스, 상하수도료 등 공과금도 모두 주거비에 포함됩니다.

이 모든 주거관련 비용들을 월 단위로 환산해서 내 소득 대비 어느 정도 비중인지 확인해볼 필요가 있어요.

현수 : 와.. 주거비용에 꼭 월세만 있는게 아니었네요.
전세나 자가도 주거비용이 많이 있네요.
슬기 : 저는 전세인데.. 대출이자와 보증보험료 이런 것들을 따로 계산해보진 않았네요. 안 그래도 요새 이자가 올라서 고민중인데..
성준 : 저도 전세대출과 일부 신용대출이 포함되어 있어서 고민중입니다. 말씀하신대로 소득 대비 주거관련 비용이 얼마나 되는지 계산해봐야 될 것 같네요.

슬기 : 주거비용이 소득대비 어느정도가 적당한걸까요?
기욱 : 사실, 이것도 정답은 없어요. 사람마다 주거에 대한 가치가 다르기 때문이에요. 좋은 집에서 사는 것에 대한 가치가 인생에서 정말 중요한 분은 주거비용의 비중이 아무래도 높을 수 밖에 없겠죠?
하지만 미혼인 경우 주거관련 비용이 소득의 30%를 넘어가는건 조금 문제가 있다고 봐요.

만약 세후 소득이 300만원인데, 여기서 100만원 가까운 돈이 주거비용이면, 나머지 생활비랑, 외식비, 용돈까지 쓰고나면 저축을 얼마나 할 수 있을까요?

유정 : 와.. 정말 그렇네요.

기욱 : 상담하다 보면 세후 소득이 200만원 조금 넘는데 임대료와 관리비, 주차비, 공과금까지 포함하면 한 달에 100만원이 넘는 오피스텔에 살고 계신 분도 있어요. 이렇게 주거비용이 소득의 절반 가까이 되면 당연히 저축하는게 힘들겠죠?

슬기 : 제 친구를 보는 것 같네요. 맞아요.
비싼 오피스텔에 사는 친구는 거의 저축을 못하더라고요.

기욱 : 더 심한 경우도 많아요. 소위 무리하게 영끌로 집을 마련한 사람들인데요. 매월 주택담보대출 원리금만 200만원을 넘게 내는 사람들도 있어요. 관리비, 세금에 공과금까지하면 250만원 수준이죠. 연봉 5천만원도 세후 실수령액은 350만원 수준이에요.
주거비용으로 250만원이 나가면, 나머지 100만원으로 생활해야 하는데.. 이건 시드머니를 모으긴커녕 생계유지조차 힘들겠죠.

성준 : 제 주변에도 그런 친구들이 몇 있습니다.
요새 정말 많이 힘들어하더라고요.

기욱 : 네. 부자가 되고 싶다면 빨리 시드머니를 모아야 하고 시드머니를 빨리 모으려면 일단 주거비용을 최소화 시켜야해요.

세상에 공짜는 없죠. 좋은 집에 살면서 누릴꺼 다 누리면서
손쉽게 부자 되는 법은 없답니다..
그래서 제가 가장 추천드리는 방법은..
최대한 부모님 집에 오래 살면서 독립을 미루는 거에요.

유정 : 앗.. 그렇군요..
기욱 : 제가 25살에 첫 취업을 했는데요. 다행히 첫 직장이 부모님
집 근처에 있었어요. 하지만 당시 부모님의 경제사정이 좋지 않아서
제가 살 방이 따로 없었죠.
그렇다고 독립을 하기에는 도저히 답이 안나오는거에요.
월세에 공과금에 생활비까지 하면.. 저축이 너무 힘들것 같았어요.
그래서 어쩔 수 없이 제 방 없이 부모님 집, 주방에서 살았어요.
유정 : 주방에서요??
기욱 : 네, 물론 이런 생활이 개인 프라이버시도 없고,
부모님 눈치도 보이고, 서로 힘겨운 상황이었지만..
덕분에 방세와 생활비는 물론, 교통비까지 아낄 수 있었고
당시 급여의 70% 이상을 저축할 수 있었어요.

현수 : 헉.. 70%요???
유정 : 와.. 대단하세요..
기욱 : 3~4년 정도 그렇게 지내다가, 회사에서 진급도 하고 연봉도
꽤 오르고, 시드머니도 어느정도 모은후, 이 정도면 독립해도 되겠다
싶었을 때, 첫 독립을 했어요.

물론 저는 워낙 좋은 집이나 주거에 대한 욕심이 없는 편이라
그렇게 할 수 있었지만.. 사람마다 주거나 행복에 대한 가치관이 다
르니까 이게 꼭 정답은 아니에요.
다만 부모님 집이 직장에서 그리 멀지 않다면, 최대한 시드머니 모을
때까지는 독립을 미루는게 가장 좋은 방법이이에요.

유정 : 네! 명심할께요!
근데 저는 꼭 시드머니 모으는게 아니라도..
시집가기 전까지는 계속 부모님 곁에서 눌러 살꺼에요!
일동 : ㅎㅎㅎㅎㅎㅎ

기욱 : 만약 본가가 직장에서 멀다면 어쩔 수 없이 독립해야죠.
이 때는 정부에서 여러가지 혜택을 주는 임대주택을 추천 드립니다.
청년행복주택, 청년역세권주택, 청년매입임대주택, 장기전세임대 등
다양한 임대주택이 있는데요

어플 '내집다오'를 다운 받으시면
LH, SH 등 여러 임대주택 모집공고를 한번에 확인할 수 있어요.
현수 : 오! 저에게 딱 필요한 정보에요. 내집다오 어플.
슬기 : 그걸 한 번에 보는 어플도 있었군요.
저는 어플로 한건 아니지만.. 몇 번 행복주택에 신청해봤는데..
잘 안되더라고요..
기욱 : 네.. 물론 경쟁은 치열합니다.

그래도 꾸준히 모집공고를 확인해보고 지원도 해봐야 해요.
정부에서도 청년들을 위한 임대주택을 계속 늘린다고 하니까요.

공공 임대주택에 살고있는 청년분들도 많이 상담해봤는데,
물론 지역이나 주택의 컨디션에 따라 다르겠지만
확실히 임대료가 싸고, 보통 6~8년까지 살 수 있어서 안정적으로 시드머니를 모으기엔 좋은 것 같습니다.

그렇다고 마냥 임대주택 당첨이 될 때까지 기다릴 수 만은 없겠죠.
세 번째 대안으로는 전세대출을 받는 건데요
정부에서 지원해주는 전세대출을 활용하면 좋을것 같아요.
가장 좋은건 '중소기업 청년 전세자금대출'
그 다음으로는 '버팀목 청년 전세자금대출'이 있습니다.

구 분	금리	한도	연봉조건
중기청	1.5%	1억원	3,500만
버팀목	2%내외	2억원	5,000만

기욱 : 예를 들어 중기청 전세대출을 1억 받았다고 해도
금리가 1.5%니까 한 달 이자가 12만원 정도밖에 나가지 않아요.
일반 전세대출 금리와 비교하면 파격적인 혜택이죠.
현수 : 와? 이런 대출이 있었다니, 전혀 몰랐네요..
슬기 : 제가 작년에 중기청 대출을 받았어요.
하지만 연봉조건이 오버되서 내년 만기때는 연장이 안될 것 같아요..

기욱 : 그럴 때는 버팀목 대출을 활용하면 됩니다.

중기청보다는 금리가 높지만 그래도 굉장히 낮은편이죠.

성준 : 버팀목 대출은 한도가 너무 낮지 않나요?

기욱 : 2022년 10월부로 한도가 7천에서 2억으로 상향되었어요.

슬기 : 아, 그렇군요. 버팀목 대출도 고려해봐야겠어요.

기욱 : 일반 시중은행의 전세대출 금리가 4~5%대인걸 감안하면

(2023.12 기준) 중기청과 버팀목 대출 모두 유용한 혜택이니,

활용할 수 있는 분들은 잘 활용하기 바랍니다.

저는 받고 싶어도.. 나이 때문에 받을 수가 없어요.. ㅎㅎ

유정 : 앗.. 나이제한이 있나요?

기욱 : 청년분들을 위한 혜택이기 때문에 만 34세까지만 가능하지만,

군필자의 경우는 만 39세까지 가능하니 참고해주세요.

성준 : 저도 아직까진 가능하군요.

기욱 : 만약 중기청이나 버팀목 대출 등 정부혜택의 대출이 불가능하다면, 전세대출을 받는 것과 월세를 잘 비교해봐야 해요.

예전에는 전세대출을 받는게 훨씬 유리했지만, 최근에는 금리가 오르면서 전세대출 이자와 월세 임대료가 거의 비슷할 수도 있어요.

만약 전세대출 이자와 월세가 거의 비슷하다면..

전세와 월세 중 어떤게 더 유리할까요?

슬기 : 음.. 글쎄요. 그래도 전세가 더 유리한거 아닌가요?

기욱 : 그런 경우엔 사실 월세가 더 유리합니다.

일단 월세는 전세와 달리 목돈이 별로 필요하지 않아요.

반면 전세는 대출을 받는다 해도 보증금의 20~30% 정도는 목돈이
필요하거든요. 이 돈은 다른 곳에 투자할 수도 없고, 그냥 보증금으
로 묶여있는거잖아요. 그거에 대한 기회비용까지 계산해야 해요.

그리고 전세는 아무래도 리스크가 있죠.

등기부등본상에 다른 선순위 대출이 없는지? 꼼꼼히 체크도 해야하
고, 보증보험도 가입해야 하며, 집주인이 전세금을 돌려주지 않을 리
스크도 있어요, 최근 전세관련 사고가 많이 일어나고 있거든요?

성준 : 맞아요. 뉴스에서 많이 나오더라고요.

기욱 : 특히 신축빌라와 오피스텔 전세는 꼭 유의하셔야해요.

이렇듯 비슷한 조건에서는 월세가 더 유리하단걸 기억해서

전세와 월세 중 어느쪽이 나에게 더 유리한지 현명하게 비교하고

계산해볼 수 있어야해요.

성준 : 저는 소득 때문에 버팀목 대출을 받는게 힘드니

선생님 말씀대로 월세와 전세를 잘 비교해서 결정해야겠네요.

기욱 : 그 밖에 형제, 자매, 친구와 같이 살면서 주거비용을 나눠서
부담한다거나, 쉐어하우스도 대안이 될 수 있어요.

쉐어하우스는 넓은 거실을 같이 공유하여 사용하니

오히려 좁고 답답한 원룸보다 더 쾌적할 수도 있어요.

← 민달팽이 청년 쉐어하우스에 사는 분을 상담한적이 있는데, 이곳도 임대료가 매우 저렴한편이니 한번 알아보면 좋을 것 같습니다.

청년주거문제 해결을 위한 비영리 단체라고 합니다.

<주거비 줄이는 팁>

1. 독립을 최대한 미룬다
2. '내집다오' 어플 활용 (임대주택)
3. 중기청 및 버팀목전세대출 활용
4. 월세, 전세, 자가 주거비용 정확히 비교
5. 형제/자매, 친구와 같이 살기, 쉐어하우스

기욱 : 첫 번째 지출악은 주거비였고요..

두 번째는.. 바로 자동차 입니다. ㅎㅎ

혹시 여기 자동차 있으신 분 계실까요?

성준 : 저 있습니다.

현수 : 전 사고 싶습니다..

기욱 : 남자분들은 아무래도 자동차에 욕심이 많지요.

하지만 남자들이 돈을 모으지 못하는 가장 큰 이유 중 하나도 자동차입니다. 자동차 유지비용 하면 보통 주유비만 생각하는 분들이 많은데요.. 주유비 말고 다른 비용도 꽤 많이 들어가거든요.

성준 : 네. 맞아요. 생각치못한 비용이 정말 많더라고요.

기욱 : 네, 주유비 이외에 할부금, 재산세, 보험료, 주차료, 통행료, 소모품 및 관리비, 대리운전비, 과태료, 중고차 감가상각비 등
모든 자동차 관련 비용이 주거비용과 마찬가지로 내 소득대비 어느 정도인지 체크해봐야해요.

현수 : 아..? 뭐가 굉장히 많네요.. 기름값만 생각했는데..

기욱 : 제가 시뮬레이션을 해봤어요.
여기 3,000만원을 모은 입사동기 두 사람이 있습니다.

입사동기	나허세	김짠순
모은돈	3,000만원	
구 분	중형차	투자

기욱 : 나허세는 3천만원으로 중형차를 한 대 샀고요
김짠순은 같은 돈으로 투자를 했어요.
이 시점에서 두 사람의 자산은 3천만원으로 동일하죠?
하지만 10년이 지나면 어떻게 될까요?

입사동기	나허세	김짠순
감가삼각	-2,400만	없음

기욱 : 자동차는 사는 순간 바로 가격이 떨어집니다.
일명 감가삼각이라고 하는데요.
보통 1년에 15~20%씩 계속 중고가격이 떨어져요.
15%로 계산했을 때 10년후 자동차 가격은 600만원이 되겠죠.
10년간 감가삼각으로만 2,400만원이 날라간 거에요.

현수 : 와.. 이런게 있었네요..?

성준 : 제.. 차도.. 지금 똥값이 되어 있겠네요..

입사동기	나허세	김짠순
유지비용	-6,000만	없음

기욱 : 게다가 유지비용도 만만치 않아요.

주유비, 세금, 보험료, 주차료, 통행료, 소모품 및 관리비 등 월평균 50만원으로 계산해봤어요. 매년 600만원, 10년간 6,000만원.

입사동기	나허세	김짠순
투자수익	없음	+3,658만

기욱 : 반면 김짠순은 3천만원으로 투자를 했잖아요?

10년간 연 8% 수익으로 계산하면 10년후 투자수익금은 3,600만원 정도가 됩니다. 그럼 자동차를 산 나허세와 뚜벅이 투자자 김짠순의 10년뒤 자산차이를 볼까요?

입사동기	나허세	김짠순
모은돈	3,000만원	
감가삼각	-2,400만	없음
유지비용	-6,000만	없음
투자수익	없음	+3,658만
합계	-5,400만	+6,658만

기욱 : 나허세는 차값에 감가삼각, 유지비용을 빼고 -5,400만원

반면 김짠순은 3천만원에 투자수익을 더해서 +6,658만원
둘의 자산차이는 1억2천만원으로 벌어졌어요.
시간을 더 길게하면 어떻게 될까요?

<자동차 유무에 따른 자산차이>
10년후 : 1억2천만원
20년후 : 3억2천만원
30년후 : 7억4백만원

기욱 : 30년후 7억이 넘게 차이나죠?
이건 평균적인 국내차의 유지비용 기준이니,
외제차나 고급차의 경우엔 차이가 더 커질꺼에요.
유정 : 우와.. 장난이 아니네요..
기욱 : 솔직히 서울 안에서 왔다 갔다 할 때는
운전하는 것보다 지하철, 버스가 제일 빠르고 편해요.
가끔 필요할 땐 쏘카, 그린카 등 카쉐어링을 활용하면 됩니다.

하지만 일 때문에라든지 차가 꼭 필요하면 사야죠.
다만 이런 자동차 유지비용들을 꼭 미리 계산해보고,
너무 무리하지 않는 선에서 사면 좋을 것 같아요.
성준 : 저도 지금 차가 너무 커서 유지비만 많이 들고..
조금 더 작은 차로 바꾸는 것도 고민해보겠습니다.
기욱 : 네네. 다운사이징도 좋은 방법입니다.

사실 자동차는 일종의 자기과시 측면이 좀 큰 것 같아요.
승차감 보다 하차감이 중요하다는 말도 있죠?
개인적으로는 희대의 망언이라고 생각합니다.

특히 20대~30대초반에 바짝 시드머니를 모으는게 중요한데
너무 어린 나이에 차를 사게 되면 나중에 자산을 모으기가 쉽지 않
아요. 제 주변에도 어렸을 때부터 자동차를 좋아했던 친구들은 지금
도 대부분 돈을 못 모았어요.
차는 계속 좋은 차로 바뀌지만.. 자산은 그대로인거에요..
여성분들도 나중에 남자 만날 때 주의해야해요.
나이에 비해 지나치게 값 비싼 차를 타는 남자들이
의외로 모은 돈이나 재정상황은 별로 좋지 않을 확률이 높답니다.

슬기 : 제 친구도 외제차 타는 남자 만났었는데
알고보니 카푸어였더라고요. 모아 놓은 돈 하나도 없는..
현수 : 차 살 생각 접고, 일단 열심히 돈부터 모으겠습니다!
일동 : ㅎㅎㅎㅎ

기욱 : 첫 번째가 주거, 두 번째는 자동차
세 번째는 통신비입니다. 좀 의외죠?
상담하다보면 의외로 통신요금을 너무 많이 내는 분들이 많으세요
다들 통신비 얼마씩 내고 계세요?
유정 : 저는 5만원 정도?

현수 : 전 10만원?

성준 : 저도 6~7만원 되는 거 같습니다.

슬기 : 저는 2만원. 알뜰폰 입니다.

기욱 : 와 슬기님. 대단하세요. 알뜰폰.

유정 : 알뜰폰이 뭔가요?

기욱 : 알뜰폰은 이름 그대로 알뜰하게, 통신요금을 절약할 수 있는 통신사인데요, 기존 통신사 망을 그대로 사용하기 때문에 서비스 품질은 똑같은 반면, 가격은 훨씬 저렴합니다. 저도 L사 알뜰폰 데이터 무제한 요금제인데, 월 요금이 17,000원 밖에 되지 않아요.

현수 : 와.. 데이터 무제한이 17,000원이요?

기욱 : 물론 이벤트 혜택을 받아서 그렇긴 한데요. 다양하고 저렴한 요금제가 정말 많거든요. 회사에 따라서, 이벤트 기간에 따라서 달라지니, 각자 알아보면 좋을 것 같아요.

통신요금 몇 만원 줄이는게 그리 커보이지 않아도,
한 달에 5만원 절약하는게 매월 200만원씩 저축하는 것보다 효과가 크다고 말씀 드렸잖아요? 알뜰폰 요금제로 옮겨서 통신요금을 5만원만 줄이면 매월 200만원씩 저축하는것과 같습니다.

현수 : 아, 저도 빨리 옮겨야겠네요..

유정 : 바로 알뜰폰으로 바꿀 수 있나요?

기욱 : 아쉽게도 약정기간이 남아 있다면 쉽지 않습니다.

위약금 때문인데요. 그래서 통신사 약정기간을 확인해보고 약정기간이 지난후에는 꼭 알뜰폰으로 옮겨서 휴대폰 할부금의 노예에서 해방되시기 바랍니다.

현수 : 맞아요. 저도 휴대폰 할부요금이 꽤 나가는 것 같아요.

기욱 : 통신요금보다 휴대폰 할부요금이 더 큰 사람들도 많아요.
할부원금 혹시 확인해보셨나요?

현수 : 할부원금요??

기욱 : 순수한 휴대폰 기기값 총액이에요.
할부원금을 보면 내가 호갱인지 아닌지 알 수 있지요.

현수 : …. 저는 호갱이겠네요.

유정 : 저도 요금의 절반은 기기값이에요.
아무래도 한 번에 비싼 휴대폰을 사려면 부담이 되서..

기욱 : 자동차처럼 휴대폰도 시간이 지나면 감가삼각이 되거든요.
감가가된 저렴한 중고폰을 활용하는 것도 방법입니다.
저도 3~4년 된 중고기기를 사용중인데, 전혀 불편함이 없거든요.

제가 오늘 주거비, 자동차, 통신비에 대해서 얘기했는데요..
사실 주거비가 집이고, 통신비는 핸드폰이잖아요?
집, 차, 폰, 이 3가지의 공통점이 있어요.
모두 남들의 시선이나 평판과 관련이 있다는 거에요.

기욱 : 생각해보면 우리는 너무 남들의 시선이나 평판에 민감해요.
넓은 아파트, 고가의 승용차, 최신 스마트폰
남들의 시선을 의식해서 내 자산이나 소득 대비해서 무리한 선택이
나 지출을 하게 되죠.

게다가 이 3가지 모두 대출이나 할부가 끼어있어요.
유정님 말처럼, 당장 일시불로 사기가 힘들기 때문에
미래의 소득을 땡겨와서 오랜기간 갚아 나가는 거에요.

이건 당장의 저축이나 투자기회 뿐 아니라,
미래의 저축, 투자기회까지 빼앗아가기 때문에
장기적으로 시드머니를 모으기 힘들게 하고
부자가 되거나 경제적자유를 이루지 못하게 하죠.

혹시 존 리 라고 들어보셨을까요?
슬기 : 그 주식투자 하라고 TV에 자주 나오는 분.
기욱 : 네, 맞습니다. 이 분이 논란이 좀 있긴 하지만 결과적으로 정
말 맞는 말을 많이 하셨어요. 이런 말을 하셨는데요.

"부자처럼 보이려고 가난해지지말고
진짜 부자가 되라!"

기욱 : 우리 진짜 부자가 되어야죠!
남들의 시선이나 평판 따위는 잊어버려야 해요.
"어디 아파트에 살아?" "무슨 차 타?" "스마트폰 뭐 써?"
이런 걸로 사람을 평가하는 우리 사회 분위기도 문제지만
이런거에 동조해서 분수에 맞지 않는 무리한 선택을 하면
결국 남들에게 부자처럼 보여지기만 할 뿐,
진짜 부자는 영영 될 수 없다는 걸 명심해야 해요.

유정 : 넵! 선생님 명심할께요!! 진짜 부자 되기!!
현수 : 반성할게 많네요..
슬기 : 저도 나름 잘 하고 있다고 생각했는데..
남들의 시선 때문에 불필요한 지출도 꽤 있었던 것 같아요.
성준 : 저도 할말이 없네요. 이제 곧 결혼을 앞두고 있는데
여자친구와도 이야기를 많이 해봐야 할 것 같습니다.

<3줄요약>
1. 주거비, 자동차, 통신비 꼭 체크하기!
2. 남의 시선 신경쓰지 않고 소신껏 살기!
3. 부자처럼 보이는게 아니라 진짜 부자되기!

제4장 : 보험은 비용, 줄이자!

기욱 : 이번엔 지출 3대악은 아니지만..
상담하다보면 너무 과하게 지출하고 있는 분들이 많아서
잠깐 이야기해볼까 합니다. 보험료인데요.
유정 : 앗, 안 그래도 보험 물어보고 싶었어요.
슬기 : 저도 보험 고민이 많아요.

기욱 : 다들 보험료, 한 달에 얼마씩 내고 계세요?
현수 : 전 8만원 정도 됩니다.
슬기 : 저는 다 합치면 20만원 정도?
성준 : 저축성보험까지 하면 거의 50만원 넘는 것 같은데요..
유정 : 지금 당장은 안 내고 있는데요.
부모님이 저 대신 들어준거 15만원 보험을 가져가라고 하시는데..
너무 부담되요..

기욱 : 사실 보험도 꼭 정답이 있는건 아니에요.
다만 꼭 당부드리고 싶은건..
보험으로 저축하는 건 절대 절대 아니라는거에요..
성준 : 아아.. 딱 저네요..

기욱 : 대표적인게 종신보험입니다..

종신보험이 보험상품 중에서도 보험료가 굉장히 비싼편인데요

나중에 냈던 돈을 돌려받을 수 있다고 이야기하는 경우가 많아요.

심지어 연금으로도 받을 수 있다고 하고요.

슬기 : 아? 저도 그거에요. 종신보험인데

나중에 연금으로도 받을 수 있다고 했는데..

기욱 : 하지만 종신보험은 내가 죽었을 때, 보험금이 나오는 상품이

에요. 엄밀히 말하면 연금과는 전혀 다른 상품이죠.

만약 종신보험을 나중에 연금으로 받게 되면,

순수한 연금상품보다 받는 돈이 많이 줄어들게되요.

종신보험은 모든 보험상품 중에서 사업비와 수수료가 가장 높아요.

즉 내가 내는 돈에서 보험사와 설계사가 떼 가는 돈이 가장 크다고

보면 되요. 상속세 같은 세금을 줄이는 측면에서는 유용할 수도 있겠

지만, 미혼 청년들에겐 적합한 상품이 아니에요.

보험은 그냥 없어지는 돈, 비용이라 생각하고

나중에 돌려받는다는 생각을 안 하는게 좋습니다.

그래서 종신보험처럼 나중에 돌려받는 환급형이 아니라

순수하게 보장되고 없어지는 소멸형으로 준비하는게 좋아요.

1년에 한 번씩 가입하는 자동차보험처럼요.

슬기 : 그럼 돈이 너무 아깝지 않나요?

기욱 : 네, 바로 그거에요. 나중에 돌려 받지 못한다해도
아깝지 않을 정도로만 가입해야 하는거에요.

슬기 : 아아..

유정 : 그럼 보험료도 소득대비 적절한 기준이 있을까요?

기욱 : 미혼 기준으로 소득의 5% 미만이 적정하다는 말도 있지만
꼭 정답은 아니에요. 참고로 저는 보험료가 소득의 2% 미만이에요.

유정 : 저도 그 정도만 하고 싶어요.
보험보다는 시드머니부터 빨리 모으고 싶은데..

기욱 : 네. 맞습니다. 너무 무리하게 보험에 가입해서
오히려 돈을 모으지 못하고 진짜 부자가 되는데 걸림돌이 되는 경우
가 많아요. 안타까운 이야기지만.. 보험에 가입할 때는 특히 지인을
조심해야 합니다.

유정 : 저도 부모님이 친구한테 가입하셨다고 들었어요.

기욱 : 부모님 지인분이 설계사인 경우가 제일 곤혹스럽긴 합니다.
거절하기 힘들다는걸 알고 더 무리하게 가입시키는 경우도 많아요.
사실 제일 싼건 인터넷 보험으로 스스로 준비하는 거에요.
중간에 설계사가 끼면 당연히 보험료가 올라가겠죠?

성준 : 저도 친구한테 가입했는데요..
벌써 4~5년 지났지만.. 지금 해지하면 손해가 크더라고요.
계속 유지하자니 부담되고.. 해지하자니 손해가 크고..

슬기 : 저도 그래요. 선생님 말씀대로 솔직히 아직 미혼이라
종신보험.. 의미가 없을것 같은데.. 해지하자니 아깝고..

기욱 : 보험은 바로 그런 점이 문제죠..

일단 중간에 해지하면 손해가 크기 때문에.. 정리하기가 힘들어요.

사실 이걸 합리적으로 판단하려면

1) 보험을 계속 유지했을 때와

2) 해지하고 그 돈으로 투자했을 때의 기회비용

이 2가지를 계산해서 비교해보면 됩니다.

성준 : 기회비용요?

기욱 : 성준님의 경우로 예를 들어볼게요.

만약 종신보험을 매월 50만원씩 5년간 유지중이라고 가정하면

그동안 보험료를 낸 원금만 3천만원이잖아요.

지금 보험을 해지했을때, 돌려받을 수 있는 해지환급금이 원금의

60%, 1,800만원 정도라고 가정해볼게요.

해지하면 약 1,200만원 정도 손해를 보는거죠.

성준 : 그렇죠…

기욱 : 혹시 납입기간이 몇 년이실까요?

성준 : 아마 20년 일꺼에요.

기욱 : 그럼 앞으로 15년 남았네요. 지금 보험을 해지한후

1) 해지환급금 1,800만원을 15년간 다른 곳에 투자했을 때

2) 매월 내야할 50만원의 보험료를 15년간 다른 곳에 투자했을 때

이 2가지의 기회비용을 계산해볼게요. 투자수익률은 연 8% 기준.

구 분	해지환급금	월보험료
현 재	1,800만원	월 50만원
15년후	5,952만원	1억7천만원
합 계	2억3천만원	

성준 : 와.. 투자했을때 기준으로.. 2억이 넘네요..

기욱 : 네, 이렇게 보험을 해지한후 투자했을 때의 기회비용과
보험을 계속 유지했을 때의 해지환급금을 비교해보면 되겠죠?

사실 15년 후에도 성준님은 49살이잖아요.
그때부터 노후까지 이 돈을 꾸준히 투자했다고 가정해볼게요.
49세부터 2억3천만원을 15년간, 64세까지 투자하면
64세에 최종잔고는 7억7천만원이 됩니다.

물론 꾸준히 연 8% 수익이 났다는 가정이긴 하지만..
과연 지금의 종신보험을 계속 유지한다고 해서
노후에 7억 가까이 되는 돈을 모을 수 있을까요?
당장 해지했을 때 1,200만원 정도 손해본다는 기분이 들겠지만
장기적인 기회비용으로 보면 훨씬 이득일 수도 있는거에요.

물론 이론상은 그렇지만 실제로 행동하기가 쉽지는 않아요.
머리로는 해지하고 그 돈으로 투자하는게 이득이라는걸 알지만..
당장 손해를 보는것 때문에.. 결정하기가 쉽지 않죠.

슬기 : 맞아요. 당장 해지하면 손해가 너무 크니까요..

기욱 : 저도 25살에 첫 취업을 했을때, 아버님 친구분 아주머니께 종신보험을 가입했어요. 이건 절대 보험이 아니고, 주식에 투자하는 펀드라고 해서 가입했는데, 4~5년 후에 알고보니 제가 죽어야 보험금이 나오는 종신보험이었죠.

유정 : 그럴수가..

기욱 : 당시 해지하면 400~500만원 정도 손해를 보더라고요.
그때 저도 이렇게 기회비용을 계산해봤어요.
계산해보니 당연히 해지하고 그 돈으로 다른 곳에 투자하는게 맞는데.. 머리로는 알지만.. 실행하는게 쉽지 않더라고요..

성준 : 결국 어떻게하셨나요?

기욱 : 그래도 눈물을 머금고 결국 해지했죠.
그때는 마음이 쓰렸지만.. 지금 돌이켜보면 그게 올바른 선택이었어요. 그때 보험을 해지하면서 받은 돈으로 꾸준히 투자해서
지금은 400~500만원보다 훨씬 더 많은 돈을 벌었거든요.
해지하지 않았다면 매월 내야 했던 보험료도 아낄 수 있었고요.

슬기 : 음.. 저도 고민을 많이 해봐야겠어요.

기욱 : 기회비용 측면에서 해지하는게 이득이더라도, 꼭 지금 당장 해지할 필요는 없어요. 시간이 더 지나서 손해보는 금액이 줄어들고, 마음의 부담감도 적어질 때, 정리해도 상관 없습니다.

단, 나에게 필요없는 보험을 만기까지 수십년간 유지하면서
기회비용을 날리는건 바보 같은 일이라는걸 명심해주세요.
성준 : 저도 결혼을 앞두고 이 보험 때문에 고민이 많았는데..
선생님 말씀을 들으니.. 계산을 제대로 해봐야 할 것 같습니다.

유정 : 근데 보험은.. 사실 뭐가 뭔지 잘 모르겠어요.
너무 복잡하고 말도 어려워서.. 꼭 외계어같아요..
현수 : 맞아요. 사실 제 보험도 정확히 뭔지는 잘 모르겠어요.

기욱 : 아직 네 분 다 미혼이고 부양가족이 없기 때문에
치료비와 진단비 위주로 준비하면 될 것 같습니다.
치료비는 말 그대로 과도한 병원비에 대한 준비를 하는건데요.
실손보험이라고 아마 한 번씩은 들어봤을꺼에요.

슬기 : 네. 실손보험 저도 있어요. 몇 번 타먹기도 했고.
기욱 : 여기 계신 분들은 나이가 아직 어리기 때문에
순수한 실손보험만 가입하면 아마 1만원 정도밖에 안 될꺼에요.
슬기 : 만원요? 저는 실손보험만 8만원이 넘는데요..?

기욱 : 그건 보험 안에 순수한 실손특약만 들어 있는게 아니라,
다른 여러가지 특약을 끼워넣어서 그래요. 그래서 가급적 불필요한
특약을 빼고 순수하게 실손특약만 최소한으로 준비하는게 좋아요.
슬기 : 아..

기욱 : 실손보험은 주기적으로 보험료가 계속 올라가요.

물가가 오르듯 병원비도 계속 오르니까, 거기에 맞춰서 보험료도 오르는 거에요. 나중에 60세, 70세, 심지어 100세까지도 보험료가 오르고 그렇게 오른 보험료를 계속 내야해요.

슬기 : 100세요? 그때까지 보험료를 내야 한다고요?

기욱 : 네.. 월급에서 떼는 국민건강보험이랑 똑같은 거에요.

혜택을 받으려면 평생 보험료를 내야하죠.

그래서 특약을 잔뜩 넣어서 무리하게 실손보험에 가입하면,

나중에 정말 병원비가 필요한 60대나 70대 이후에 보험료가 부담되서 보험을 해지하는 경우가 생길수 있어요.

성준 : 와.. 충격적이네요. 100살까지 내야 한다니..

기욱 : 그래서 실손보험을 준비할때는 다른 불필요한 보장 없이 최소로 알뜰하게 준비하는게 중요합니다. 제 실손보험도 만원대에요.

노후까지 쭈욱 유지한다는 생각을 가지고 준비해야 해요.

유정 : 실손보험은 최소로 준비하기!! 메모메모.

기욱 : 첫 번재는 실손보험, 치료비에 대한 준비였고요.

두 번째는 진단금입니다. 진단금은 암 같은 위중한 병에 걸렸을 때 그 즉시 보험사에서 지급되는 보험금을 말해요.

의사가 병을 진단하는 것만으로 보험금이 나온다고 해서 진단금이라고 해요. 실제로 진단서만 있으면 보험금이 나오죠.

몇 년 전에 친한 친구가 위암에 걸렸거든요.

현수 : 헛.. 정말요.. 그런 일이..

기욱 : 지금은 그래도 치료되서 많이 좋아졌어요.
하지만 처음 암 진단을 받고, 치료 받는걸 옆에서 보니..
일단 암에 걸리면.. 일을 못하더라고요. 수술하고 이래저래 회복하는데 거의 1년6개월~2년 정도 걸린 것 같아요.

수술비나 치료비는 건강보험과 실손보험으로 커버한다고 해도
1~2년동안 일을 못하면 생활비 쓸 돈이 없잖아요?
진단비는 치료 및 회복기간 중에 생활비를 준비하는거라 생각하면
됩니다. 보통 1~2년치 연봉 수준으로 준비하는 경우가 많아요.

슬기 : 아, 진단비를 그런식으로 이해하면 되는군요.

기욱 : 자, 그럼 여기서 질문. 진단비는 젊을 때가 중요할까요?
아니면 은퇴하고 나이가 든 이후에 중요할까요?

성준 : 음.. 아무래도 나이들면 더 아플 확률이 높으니까
나이가 든 이후가 중요하지 않을까요?

기욱 : 오히려 반대입니다. 진단금은 젊을때, 사회생활을 활발히 할
시기에 중요한거에요. 제 친구 경우처럼 아프면 일을 못하니까, 생활
비가 필요한거죠. 하지만 60이나 70세가 넘으면 어떻게 될까요?
아무래도 젊은시절처럼 활발히 사회생활하긴 힘들잖아요?
생활비는 연금, 혹은 모아 놓은 자산으로 충당하는 경우가 많아요.

어차피 일을 활발히 하지 않으니까, 그 때는 진단비(생활비)보다 당장 치료비가 더 중요해지는거에요.

성준 : 아 그렇네요. 진짜 생각해보니 반대네요.

기욱 : 게다가 만약 30세 청년이 100세 만기로 암 진단금을 가입했는데.. 정말 100세에 암이 걸렸다면.. 거의 70년 뒤에 진단금을 받잖아요..? 70년 뒤에 화폐가치가 지금과 같을까요?

슬기 : 아.. 훨씬 떨어지겠죠?

기욱 : 지금의 5천만원은 물가상승률 연 2.5%로 계산시, 70년 뒤 실질가치로 800만원밖에 되지 않습니다.

유정 : 앗.. 5천만원이 800만원요..?

기욱 : 네. 이렇듯 시간에 대한 화폐가치도 같이 계산해야해요. 보험사가 돈 벌고 빌딩 사는 이유가 여기에 있어요.

유정 : 정말 그렇네요..

기욱 : 60세나 70세 이후의 진단금은 필요성이 낮아지기 때문에 치료비를 커버하는 실손보험 만기는 최대한 길게하되, 진단금 만기는 조금 짧게 하는것도 나쁘지 않아요.

<H보험사, 일반암 진단금 5천만원, 만30세, 20년납, 2022.12.20 기준>

60세	15,590 원
70세	25,750 원
80세	38,300 원
100세	58,050 원

기욱 : 이렇듯 만기에 따라서 보험료가 꽤 많이 차이나죠?
보험사나 설계사들이 만기를 길게 하라고 유도하는 이유가 있어요.
보험료가 비싼만큼 사업비와 수수료도 커지기 때문이에요.
그래서 저도 제 암 보험 만기를 60세까지만 했어요.
물론 저는 50세 전에 경제적자유를 이루는게 목표라 좀 특수한 케이스긴 하지만, 만약 정년까지 꾸준히 일하실 분들은 계단식으로 준비해도 됩니다.

성준 : 계단식이요?
기욱 : 예를 들어 암진단금으로 5천만원을 준비한다고 하면
4천만원은 만기를 60세까지만 하고, 나머지 1천만원은 만기를 70세나 80세까지로 하는거죠. 물론 이것도 꼭 정답은 아니에요. 방법 중 하나를 알려드린 겁니다.

슬기 : 유용한 팁 같아요. 말씀하신대로 진단금은 경제활동을 활발히 하지 않는 노년에는 별 의미가 없네요.
저도 계단식으로 진단금 준비하는걸 고려해봐야겠어요.
실손보험도 불필요한 담보들을 싹 다 정리하고요.

<3줄요약>
1. 보험은 비용, 저축금지
2. 불필요한 보험가입시 해지했을때 기회비용 계산
3. 미혼이라면 치료비(실비) 및 진단금(암) 위주로 준비

기욱 : 친한 친구가 아픈걸 옆에서 보니까..
보험을 떠나서 일단 아프지 않고 건강한게 최고에요.
치료비나 일을 못하는것도 문제지만
일단 수술이나 항암치료가 정말 고통스럽고 힘들거든요.

그래서 최고의 보험은 '건강관리'라고 할 수 있어요.
과식하지 않고, 신선한 채소랑 과일 많이 먹고,
몸을 부지런히 움직이고, 규칙적으로 운동하고
스트레스 받지 않고, 마음의 여유를 가지기.

결국 핵심은 보험은 좀 적당히 가입하고
스스로 건강관리 잘 하면서
보험이 아닌 진짜 자산을 모으는거에요!

유정 : 네! 선생님! 알겠습니다!
현수 : 최고의 보험은 건강이라는 말 공감가네요!
슬기 : 진짜 자산을 모아라..
성준 : 저도 보험료 줄이는 거 고민해보겠습니다!

제5장 : 적금 vs 예금 vs 대출

기욱 : 이번엔 금리에 대한 이야기를 해볼거에요.

혹시 적금과 예금, 대출은 각각 구분하실 수 있죠?

유정 : 대출은 은행에서 돈을 빌리는거죠?

적금과 예금은 조금 헷갈려요.

기욱 : 매월 주기적으로 은행에 돈을 저축하는게 적금.

한 번에 목돈을 넣고 만기 때 돈을 찾는게 예금입니다.

유정 : 아아, 매월 넣는게 적금, 한 번에 넣는게 예금요!

기욱 : 적금과 예금, 대출의 금리가 각각 다른거 알고 계세요?

유정 : 에? 각각 다르다는게 무슨 말일까요?

기욱 : 예를 들어 적금, 예금, 대출 금리가 모두 같은 연 5%라 해도 실제 내가 적금, 예금에 돈을 넣어서 받는 이자와, 대출 받았을 때 내는 이자가 각각 다르다는 거에요.

슬기 : 적금과 예금은 다르다고 얼핏 들은것 같은데..

대출까지는.. 잘 모르겠네요..

현수 : …. 저는 아예 무슨말이지 모르겠는데요..

기욱 : 아마 모르는 분이 대부분일꺼에요.

제가 이해하기 쉽게 예를 들어볼게요.

각자 네이버에서 적금이자 계산기로 직접 계산해봐도 되요.

매월 83,334원씩 적금을 넣으면, 1년간 원금이 거의 100만원이에요.

만약 적금 상품의 금리가 10%라고 하면.. 이자는 원금 100만원의 10%인 10만원을 줘야 하잖아요?

유정 : 네, 그렇죠.

기욱 : 하지만 계산기로 직접 해보면.. 1년후 만기때 실수령 이자는 45,833원인걸 알 수 있죠. 10%인 10만원의 절반도 안되는 금액이잖아요? 실제로 은행에서 이렇게 줍니다.

유정 : 아니 왜요?? 10%라고 했는데.. 왜..

현수 : 그러게요. 은행이 사기를 치는 건가요..?

기욱 : 사기까진 아니고요. 이게 맞긴 해요.

은행에서 말하는 연 10% 금리의 의미는 1년동안 자기들한테 돈을 보관했을때 10%를 준다는 거에요. 하지만 적금은 예금처럼 한 번에 목돈을 넣고 1년간 보관하는게 아니고 매월 조금씩, 열 두번으로 나눠서 은행에 돈을 넣잖아요?

그럼 실제로 1년간 은행에 보관되는 돈은 첫 달치 뿐이고,

두 번째 달 납입금은 보관기간이 11개월, 세 번째 달은 10개월..

마지막 달은 1개월.. 이런식으로 횟차가 늘어날수록 보관기간이 짧아지죠? 보관기간이 짧은만큼 다 이자에서 제하고 주는거에요.

유정 : 아아.. 보관기간이 짧아지니까.. 이제 이해가 가네요.

현수 : 역시 은행은 절대 손해보지 않는군요.

<10% 적금 실수령액>

월적립금 : 83,334 원

전체원금 : 1,000,008 원

세전이자 : 54,167 원

세후이자 : 45,833 원 (실이율 4.58%)

기욱 : 이렇게 기간별로 환산한 이자에서 세금 15.4%를 떼고

실제 우리가 받을 수 있는 이자는 45,833원이 되는거에요.

원금 100만원 대비 수익률은 4.6% 정도 되겠죠?

그래서 적금의 실제 금리는 원래 금리의 절반정도에요.

세금까지 하면 절반이 조금 안되는거죠.

슬기 : 와.. 저도 적금의 실제 이율이 낮다는 얘기를 듣긴했는데

이렇게 낮을줄은 몰랐어요.

성준 : 그러게요. 부끄럽지만 저도 처음 알았네요..

기욱 : 그래서 너무 높은 적금 금리에 속으면 안되요.

적금 금리 10%라고 해도, 세금 떼고 내가 실제로 받는 이자는 원금

의 4.5% 수준이라는걸 기억하셔야해요.

만약 5% 적금이라면 1년후 실제 받는 이자는 2.3% 수준.

현수 : 거의 안주는거네요..

기욱 : 반면 예금은 적금과 달라요.

예금은 한번 가입하면, 목돈을 1년간 계속 맡겨 놓잖아요?

그래서 실제 이율이 적금처럼 낮아지진 않아요.

100만원을 연 10% 예금에 1년간 돈을 맡기면 이자가 10만원이지만,

이자에 대한 세금 15.4%를 떼고 나면 실수령액은 84,600원,

원금 대비 수익률은 8.4% 정도 되는거에요.

<10% 예금 실수령액>

전체원금 : 1,000,000 원

세전이자 : 100,000 원

세후이자 : 84,600 원 (실이율 8.46%)

현수 : 그럼 적금보다 예금하는게 무조건 이득이겠네요?

거의 두 배 차이니까?

기욱 : 꼭 그렇지는 않아요. 예금은 한 번에 돈을 넣어야 하니까 일단 목돈이 있어야 하잖아요? 반면 적금은 당장 목돈이 없어도 매월 월급에서 조금씩 넣어서 모을 수 있어요.

적금과 예금은 뭐가 더 좋고 나쁘고가 없어요.

내 상황에 맞게 선택하면 되는 거에요.

매월 월급에서 차곡차곡 목돈을 모을 때는 적금을 하고,

그렇게 모은 목돈을 굴릴 때는 예금으로 하는거죠.

유정 : 네네! 이해했어요! 매월 모을땐 적금, 목돈을 맡길땐 예금!

적금 금리의 실제 이율은 절반 정도인걸로. 메모메모.

기욱 : 제가 퀴즈를 하나 내볼게요.

어떤 사람이 대출이 천만원 있어요. 대출이율은 연 5%.

그런데 이 사람이 현금도 천만원을 가지고 있어요.

만약 은행에서 10% 적금, 5% 예금상품이 있다고 가정하면..

이 사람은 어떻게 하는게 제일 효율적인걸까요?

1) 연 10% 적금을 한다

2) 연 5% 예금을 한다

3) 연 5% 대출을 갚는다

유정 : 음.. 글쎄요.. 선생님 말씀대로라면

셋 다 똑같은거 아닌가요?

현수 : 목돈이 있으니까 예금을 한다?

슬기 : 아까 미국 주식시장 평균수익률이 10%라 하셨으니

그 돈으로 투자를 한다? 아닐까요?

기욱 : 앗.. 투자하는건 보기에 없습니다. ㅎㅎ

정답은 3번 '대출부터 갚는다' 입니다.

성준 : 아?

기욱 : 하나하나 계산 해볼게요.

첫 번째로 적금의 경우는 매월 돈을 넣어야 하니, 1,000만원이라는

목돈을 12개월로 나누면 월 833,333원. 매월 833,333원을 1년간

10% 적금에 부으면 1년뒤 실수령 이자는 458,246 원입니다.

두 번째는 예금의 경우.

1,000만원을 5% 예금에 입금후 1년 후 찾았을 때, 세금 떼고 실수령 이자 423,000 원으로 오히려 아까 10% 적금보다 실수령액이 적죠? 그래도 1년간 3만원 차이니까 거의 비슷하다고 볼 수 있어요.

마지막 세 번째는 대출의 경우

천 만원을 5% 금리로 빌렸을 때 1년후 납부할 이자는, 천만원의 5% 얄짤없이 딱 50만원. 대출은 세금이 없어요. 그래서 같은 금리라도 대출 이자가 예금, 적금 이자보다 더 큰거에요.

구분	금리	이자
적금	10%	+458,246 원
예금	5%	+423,000 원
대출	5%	− 500,000 원

기욱 : 이렇게 적금, 예금, 대출금리의 차이를 이해하셔야 해요.

유정 : 와 이렇게 보니 한 번에 이해가 가네요.

금리가 비슷할 경우엔 대출부터 갚아야 하는군요!

성준 : 선생님, 제가 신용대출을 받은게 최근에 금리가 6%까지 올랐는데요. 연 이율 8%짜리 적금을 하는게 있어서 그게 더 이득인줄 알았는데.. 완전히 반대였군요. 대출부터 갚아야 하는거군요?

기욱 : 앗? 맞습니다. 8% 적금이면 실제 이율은 4%도 안되니까요.. 신용대출부터 빨리 정리하는게 좋을것 같습니다.

성준 : 아..

기욱 : 그리고 실제금리가 비슷하다고 해도 가급적 대출부터 갚는게 유리해요. 우리는 감정이 있는 인간이잖아요? 심리적인 면도 고려해야 해요. 아무래도 대출이 있으면.. 심리적으로 불안하게 되죠.

성준 : 맞아요. 신용대출 때문에 마음이 불안합니다.

기욱 : 네. 그래서 가급적 대출부터 빨리 정리하는게 심리적으로 부담이 덜하실꺼에요.

성준 : 네.. 바로 적금 들은거 정리하고 신용대출부터 갚겠습니다.

기욱 : 아까 슬기님이 대출 갚을 돈으로 투자하는게 더 이득 아니냐고 하셨는데.. 데이터로만 보면 그게 맞을 수도 있어요.
하지만 심리적으로는 그렇지 않아요.
대출받아서 투자하면 심리적으로 많이 흔들리기 때문에 올바른 투자판단을 하지못할 가능성이 커요.

슬기 : 아.. 그렇군요.

기욱 : 투자쪽은 제가 뒤에서 다시 한번 설명 드릴께요.

유정 : 네! 선생님. 가급적 대출부터 갚기.
빚내서 투자하지 않기. 메모메모.

기욱 : 혹시 드라마 응답하라 1988 보신분 계실까요?

유정 : 아, 네 그럼요. 너무 재밌게 봤죠!

기욱 : 드라마의 배경이 되었던 80년대 금리가 몇 %인지 아시는분?

현수 : 음.. 글쎄요. 10%?

種 別	契約期間	(金利)	월불입금	만기원리금
정기예금	3개월이상	19.2		1,045,180
	6 〃	21.3		1,100,243
	1년 〃	24.0		1,225,900
정기저금	6개월제	18.6	160,400	1,049,133
	1년 〃	20.9	76,900	1,096,854
	1년반 〃	21.6	49,200	1,142,505
	2년 〃	22.6	35,300	1,187,685
	2년반 〃	23.8	26,900	1,233,430
	3년 〃	25.0	23,100	1,278,139
재형저축	1년제	27.4		17,676
	2 〃	30.3		95,281
	3 〃	33.5		181,061
	5 〃	36.5		538,083
상호부금	15개월제	20.6	60,400	1,029,467
	35 〃	25.0	22,600	1,085,376
	60 〃	27.5	11,500	1,168,584
금전신탁	1년이상	24.0		1,239,454
	1년 6개월	24.2		1,384,683
	2년 6 〃	25.0		1,754,912
	3년 6 〃	25.4		2,232,312

재형저축은 월 1만원불입 만기수취이자임..

短資金利表 <단위: 원>

<1980년 은행금리표>

기욱 : 이건 1980년 당시 은행의 상품 안내장이에요.

유정 : 어머나! 장난 아니네요. 예금도 20%가 넘네요?

재형저축? 저건 뭐에요? 36%?? 와..

기욱 : 재형저축은 정부에서 국민들의 저축을 장려하기 위해서

금리를 조금 더 지원해준 상품이에요. 현수님이 하신 청년희망저축과

비슷한 거라고 볼 수 있죠.

현수 : 와.. 36%.. 금리는 전혀 비슷하지 않은데요..

슬기 : 20~30% 금리면 특별히 다른데 투자할 필요도 없었겠어요..

기욱 : 네. 반면 지금은 금리가 많이 올랐다고 하지만

시중은행의 예금 이자가 고작 4~5% 수준이잖아요? 차이가 크죠.

혹시 2022년 7월의 은행 이율, 기억하시는분이 있을까요?

슬기 : 글쎄요. 지금보다는 낮았던 것 같은데요?

은행명	상품명	1년금리
우리	두루두루정기예금	1.50%
하나	하나의정기예금	1.20%
KB	KB 그린웨이브예금	2.35%
농협	내가그린초록예금	2.35%

<2022.05.15 기준 시중은행 예금상품>

유정 : 와.. 고작 1~2% 밖에 안되네요.

기욱 : 네. 최근 몇 년간 갑자기 금리가 많이 올라오긴 했지만
불과 얼마전만 하더라도 금리가 굉장히 낮았어요.
사실 금리는 단기적으로는 등락이 있었지만 장기적으로 보면
80년대부터 지금까지 수 십년간 쭈욱 내려오기만 했어요.

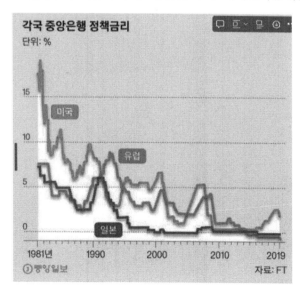

기욱 : 꼭 우리나라만만 금리를 내려왔던건 아니고요.

미국, 유럽, 일본 등 주요 선진국들도 모두 비슷해요.

유정 : 정말 그렇네요.

기욱 : 이미 10여년 전부터 유럽과 일본은 0% 수준의 제로금리였고, 2020년 팬더믹 사태로 인해 다른 나라들도 대부분 제로금리로 바뀌게 되었어요. 그래서 2022년 초까지도 예금 금리가 1~2% 수준이었던 거에요. 그러다 2022년 중순부터 미국을 중심으로 전 세계가 금리를 올리고 있는데요.

그럼 이 금리가 계속 올라가서 아까 보여드린 80년대처럼

연 20~30% 예,적금 상품이 만들어지는 시대가 다시 올까요?

슬기 : 그건 힘들지 않을까요?

기욱 : 네, 맞습니다. 미래는 물론 누구도 알 수 없지만, 금리가 그렇게까지 올라가기는 힘들꺼에요. 금리를 결정하는 요인에는 거시경제, 경기, 물가, 환율 등 정말 많은 것들이 있는데요. 장기적으로 보면 결국 경제성장율과 비슷하다고 볼 수 있어요.

유정 : 성장율이요?

기욱 : 네, 사실 금리는 돈의 값어치에요.

내가 가지고 있는 돈을 얼마의 이자를 받고 빌려줄 것인가?

혹은 내가 얼마정도 이자를 부담하고 돈을 빌릴것인가?

70~80년대 우리나라는 경제가 고성장하던 시기였어요.

그 때는 20~30% 이자를 내더라도 돈을 빌리는게 이득이었어요.

그 돈으로 사업을 하거나 투자하는게 훨씬 남는 장사였죠.
예를 들어 20% 이율로 은행에서 10억을 빌려 사업했는데
사업으로 1년에 5억을 벌게 되면, 빌린 돈의 20%인 2억을 이자로
내더라도 내 손에는 3억이 남는거죠.

아까 슬기님이 은행 금리가 20~30% 정도면 딱히 투자 안해도 되겠
다고 말씀 하셨지만.. 실은 그때 그 돈을 빌려서 투자하거나 사업한
분들이 훨씬 더 많은 돈을 벌 수 있었던거에요.
슬기 : 아.. 그럴수도 있겠네요.
기욱 : 하지만 경제성장율이 떨어지면 이게 힘들어지겠죠?
은행 이율보다 더 높은 수익을 낼 기회가 사라지니까요.
그럼 점차 돈을 빌려서 사업하는 사람들이 줄어들겠죠?

자본주의의 핵심은 기업인데, 기업이 줄어들면 일자리도 같이 줄어들
고, 경기는 침체에 빠지고, 활력을 잃게 되요.
정부 입장에서는 빨리 경기를 회복시키기 위해서 금리를 내릴 수 밖
에 없는거에요. 이자 낮춰줄 테니 빨리 돈 빌려가서 사업이나 투자하
라는 거죠. 그렇게 미국, 유럽, 일본, 우리나라 등 주요 국가들 모두가
수 십년간 계속해서 금리를 낮춰왔던거에요.

고령화로 인해 성장률이 수 십년간 거의 0% 수준으로 떨어졌던 일
본이 오랜기간 제로금리를 유지할 수 밖에 없었던 이유기도 하고요,
성장률이 낮은 유럽도 마찬가지였어요.

지금 당장은 전쟁이나, 코로나로 인한 유동성, 공급망 문제, 이례적인 인플레이션 등으로 금리를 올리고 있지만 앞으로 10년, 20년 계속 금리를 올릴 수는 없을꺼에요. (글을 썼던 2023년 1월 기준)

특히 우리나라는 고령화 속도가 너무 빨라서.. 잠재적인 경제성장율이 계속 떨어지고 있어요.. 향후 몇 년간은 금리가 오르락 내리락 할 수 있겠지만, 장기적으로 보면 (제로금리까지는 아니겠지만) 지금보다는 금리가 더 내려갈 가능성이 크겠죠.
즉 지금의 4~5%대 예,적금 상품은 영원하지 않은거에요.
현수 : 아.. 그렇군요.

기욱 : 결국 핵심은 금리가 계속해서 올라갈 수는 없다.
장기적으로 보면 다시 금리는 낮아질 것이다.
예,적금 금리 2~3% 시대가 다시 올 수도 있으니
장기적으로는 투자에 관심을 갖고 공부해야 한다는거에요.
유정 : 네! 고금리가 영원할 수 없다. 투자공부. 메모메모.

<3줄요약>
1. 적금, 예금, 대출 실제금리를 비교, 계산할 수 있어야 한다
2. 비슷한 경우는 가급적 대출부터 갚기 (심리적 안정감도 중요)
3. 고금리가 영원하진 않다. 투자에도 관심을 가져아한다.

제6장 : 채권 vs 주식 vs 부동산

기욱 : 드디어 투자에 대한 이야기를 하게 되었네요.

사실 제가 제일 좋아하는 분야이기도 합니다.

혹시 지금 투자를 하고 계신분?

유정 : 전 아직 하고있진 않지만, 그래도 관심은 많아요!!~

현수 : 친구말 듣고 했다가.. 지금은 계좌를 안보고 있어요..

슬기 : 투자가 제일 문제에요. 지금 손실이 엄청나거든요..

성준 : 저도 투자했다 물려서.. 어떻게 해야 할지 모르겠습니다.

기욱 : 네, 유정님 말고는 모두 투자를 하고 계시는군요.

투자가 무엇인지? 설명할 수 있으신 분?

유정 : 음.. 돈으로 돈을 불리는 것?

기욱 : 네, 맞습니다. 투자는 이익을 얻기 위해 내 돈을 투입하는 거에요. 저희가 살고있는 이 세계를 자본주의 사회라고 하잖아요?

자본주의 사회 시스템이 사실상 투자로 인해 돌아가고 있어요.

이번 기회에 자본주의와 투자에 대해서 알아두면

앞으로 인생을 살아가는데도 많은 도움이 될꺼에요.

유정 : 네~

기욱 : 투자할 수 있는 가장 대표적인 자산으로

채권, 주식, 부동산 3가지가 있거든요.

혹시 이 3가지의 개념을 정확히 알고 있는분 계실까요?

슬기 : 음.. 대략은 알고 있지만.. 설명하려니까.. 조금 막막하네요.

현수 : 주식, 부동산은 알 것 같은데 채권은 좀 생소해요.

기욱 : 일단 이 3가지의 개념을 알고 있으면 좋을 것 같아요.

제가 이해하기 정말 쉽게 예를 들어서 설명 드려볼게요.

혹시 다들 커피 좋아하시나요?

유정 : 네, 그럼요!~

기욱 : 제가 이 동네에 카페를 하나 차리는 거에요. 그 카페에 각각

채권, 주식, 부동산으로 투자하는 걸로 예를 들어 설명 해볼게요.

유정 : 네~ 좋아요~

기욱 : 일단 채권투자.

채권투자는 심플한데요 그냥 돈을 빌려주고 이자를 받는거에요.

예를 들어 카페를 차릴때, 5억이 필요하다고 가정해볼께요.

근데 저는 수중에 1억밖에 없는거에요.

그래서 여러분들께 각각 1억원씩, 부족한 4억을 빌리는거죠. 대신 빌린 돈 1억에 대해서 연 10% 이자를 준다고 계약서를 쓰고, 그렇게 빌린 돈으로 카페를 차리고, 열심히 커피와 디저트를 팔아서 번 돈으로 1억에 대한 이자 10%, 즉 천만원을 매년 꼬박꼬박 드리면.. 여러분들은 채권투자를 한거에요.

돈을 빌려준 여러분이 채권자, 돈을 빌린 제가 채무자가 되는거죠.

유정 : 아~ 채권은 심플하네요. 돈 빌려주고 이자 받는거군요.

기욱 : 네. 물론 이해를 쉽게 하기 위해서 단순히 설명 드린거에요.

실제로 채권투자를 카페사장 같은, 개인에게 하진 않아요.

주로 국가에 돈을 빌려주는 '국채'와 회사에 돈을 빌려주는 '회사채'
에 많이 투자해요.

넓은 의미로는 은행의 예금, 적금도 일종의 채권이에요.

둘 다 은행에 돈을 빌려주고 이자를 받는거잖아요?

다만 은행은 이자를 많이 주지 않죠? 왜 그럴까요?

유정 : 글쎄요. 은행이 나쁜 놈들이라서?

일동 : (웃음)

기욱 : ㅎㅎ 물론 그런 측면도 아예 없진 않겠지만..

가장 큰 이유는 은행이 우리 돈을 떼먹을 확률이 낮기 때문이에요.

은행에 돈을 맡겼는데, 나몰라라 배째고 돌려주지 않는 경우는 거의

없잖아요? 리스크가 낮기 때문에 리턴, 즉 이율도 낮은거에요.

로우리스크 로우리턴인거죠.

보통 리스크가 적을수록 이율도 낮은편이에요.

아무래도 국가에 돈을 빌려주는 국채이율이 가장 낮고

삼성 같은 우량한 대기업의 회사채 이율이 그 다음으로 낮겠죠?

반면 부실한 중소기업의 회사채는 이율이 굉장히 높아요.

돈을 돌려주지 못할 리스크가 클 테니까요?

하물며 동네 카페사장은 말할 것도 없겠죠?

제가 이해를 쉽게 하기 위해서 예를 든것 뿐이지, 동네 카페사장 같이 개인에게 돈을 빌려주면 절대 안 됩니다. 못 받을 확률이 너무 높아요. 저는 500% 이자준다고 해도 절대 안 빌려 줄거에요.

일동 : (웃음)

기욱 : 채권이 단순히 돈을 빌려주는 거에 비해서
주식투자는 개념이 조금 달라요.

아까처럼 제가 카페를 차리기 위해서, 부족한 돈을 빌려달라고 했을 때, 여러분들이 생각하기에 제가 사업을 되게 잘할것 같은거에요.

알고보니 제가 파리 유학파에, 전도유망한 파티셰였다던가?

유정 : 와~ 정말요?

기욱 : 아니.. 예를 들어서요.;;

그래서 단순히 돈을 빌려주는게 아니라 카페 지분에 같이 참여해서 카페에 투자하기로 한거죠. 이게 주식투자에요. 쉽게 말해 주식투자는 카페사장인 저와 같이 동업하는거라 생각하면 되요.

유정 : 아~ 동업. 맞아요. 들어본 것 같아요.

기욱 : 제 돈 1억에, 여러분이 각자 1억원씩 카페에 투자해서
총 5억원으로 카페를 차렸다고 가정해볼께요.

주주는 저까지 총 5명, 각각 1억원씩 20% 지분을 갖고 있겠죠?

경영은 제가 하지만, 카페 지분은 동등하게 가지고 있는거에요.

투자자	5명
투자금	각자 1억씩
총자본금	5억
지분율	각자 20%씩

유정 : 아~ 이렇게 보니까 이해가 가네요.

드라마 보면 회사 지분 때문에 싸움 나는게 이런거군요?

기욱 : 네, 맞습니다. ㅎㅎ 동네 카페로 예를 들어서

사이즈가 작아서 그렇지. 개념은 비슷하다고 보면 되요.

이렇게 지분투자를 받아서 카페를 차렸는데

여러분들 생각처럼 제가 카페 장사를 기가막히게 잘 한거에요.

카페매출	1억원
운영경비	-5천만원
순이익	5천만원

기욱 :1년 동안 커피와 디저트를 팔아서 재료비, 임대료, 인건비 등

운영경비를 제외하고 순수하게 5천만원을 벌게 된거에요.

그럼 이 순이익 5천만원은 누구 돈일까요?

유정 : 어.. 쌤이 다 가져가는건 아니죠??

슬기 : 그러게요. 우리 모두의 돈 아닌가요?

다 같이 1억씩 모아서 차린거니까?

현수 : 와 저도 궁금합니다.

기욱 : 정확히 말하면, 이 5천만원은 카페 돈입니다.

회사 돈인거죠. ㅎㅎ 뉴스보면 횡령으로 감옥가는 사람들 많죠?

다 회사 돈 마음대로 손 댔다가 그렇게 되는거에요.

유정 : 아.. 횡령이 그런거군요.

기욱 : 카페 사장인 제 마음대로 쓰면 당연히 안되겠지만

주주인 여러분의 동의 아래 공평하게 지분대로 돈을 나눠가질 수는

있어요. 이걸 배당이라고 해요. 예를 들어 한 해 이익이 5천만원이고,

저희 지분은 각자 20%씩이니까, 천 만원씩 배당 받으면 되겠죠?

원금 1억에 천만원을 배당 받았으니 배당수익률은 연10%.

카페순이익	5천만원
주식지분율	각자 20%씩
각자배당금	1천만원
배당수익률	연 10%

슬기 : 오, 배당이 그런 개념이군요.

기욱 : 아까 채권투자의 경우, 제가 연 10% 이자를 준다고 가정하면

채권이나 주식투자나 수익률은 연 10% 똑같잖아요?

그럼 채권과 주식투자는 차이가 없는걸까요?

유정 : 어, 그렇네요. 똑같은건가요?

기욱 : 카페 장사가 계속 그대로라면 똑같을 수도 있겠지만

만약 입소문이 나고 카페 장사가 계속 더 잘 된다면?

매년 이익금도 커지고, 투자자에게 나눠주는 배당금도 커지겠죠?

만약 5년 뒤, 카페가 한 해에 번 돈이 5천에서 1억으로 늘어나면
배당금도 각자 천만원에서 2천만원으로 늘어나겠죠?
반면 채권에 투자했다면 이자는 여전히 천만원이겠죠?

기간	채권이자	주식배당
1년후	1천만원	1천만원
5년후		2천만원

유정 : 오~ 주식배당은 두 배가 되었네요?

기욱 : 네, 그래서 사업이 잘 되면 잘 될수록 채권보다 주식투자가
유리한거에요. 반대로 사업이 잘 되지 않는다면.. 오히려 주식투자가
불리하겠죠?

성준 : 아, 말 그대로 주식은 투자군요.

기욱 : 만약 5년뒤 카페 장사가 계속 잘 되서, 배당금도 커졌을 때
누군가 여러분이 가지고 있는 카페 지분을 팔라고 하는거에요.
처음 카페 차릴 때, 1억에 샀던 지분을 2억에 사겠다고 하는거죠.
이 사람이 볼 때는 카페 장사가 앞으로도 계속 잘 될 것 같거든요.

기간	카페순이익	배당금	지분가치
1년후	5천만원	1천만원	1억원
5년후	1억원	2천만원	2억원

기욱 : 보통 우리가 투자할 수 있는 기업들은 이렇게 기업의 지분을
사람들과 자유롭게 사고 팔 수 있어요.

또 '기업이 장사를 잘 했는가? 못 했는가?'에 따라서 지분 가치가
실시간으로 올랐다 내렸다 하거든요? 이 지분 가치를 흔히 우리는
'주가'라고 하는거에요.

슬기 : 아, 주가가 그런 개념이었군요.

그냥 오르락 내리락 하는 숫자로만 생각했는데..

현수 : 저도 이제 어느정도 이해가 갑니다.

친구 말만 듣고 투자했지만.. 이런 이야기는 처음 들었어요.

유정 : 제 꿈이 카페 창업이거든요.

그래서 그런지 개념 이해가 쏙쏙 잘 되요.

기욱 : 물론 이해를 쉽게 하기 위해서 예를 들었을 뿐

실제로 회사 운영이나 주식투자가 이렇게 단순하게 돌아가진 않아요.

다만 오늘은 어느 정도의 개념만 이해하면 될 것 같아요.

채권은 단순히 돈을 빌려주는 것, 주식은 사장과 같이 동업하는 것.

구분	채권	주식
차이점	빌려줌	투자
리스크	낮음	높음
기대수익	낮음	높음
소득형태	이자	배당

기욱 : 마지막으로 부동산 투자도 설명 드릴게요.

부동산 투자는 아마 다들 이해하기 쉬울거에요.

동일하게 카페로 예를 들어 설명하면.. 카페가 있는 상가건물이 여러분꺼라고.. 행복회로를 돌려볼게요.

유정 : 오! 상상만 해도 행복하네요. ㅎㅎ

기욱 : ㅎㅎ 그렇게 되면 제가 그 상가에서 카페를 차리고 장사하는 대신 보증금을 내고, 매월 약속한 월세를 드려야겠죠?
쉽게 말해서 이게 부동산 투자에요. 별거 없죠?

예를 들어 보증금 5천만원에 월세 200만원으로 계약시.
1년간 총 소득은 월 200만원x12개월 = 2,400만원이 되는거에요.
만약 그 상가를 5억에 샀다고 가정하면, 투자원금이 5억원.
연소득 2,400만원에서 (투자원금 5억 - 보증금)을 나누면 이 부동산의 연수익률을 알 수 있어요.

보증금	5천만원
임대료	월 200만
연소득	2,400만
투자원금	5억원
연수익률	5.3%

슬기 : 아..? 이렇게 수익률을 계산할 수 있군요?
기욱 : 물론 보다 정확한 수익률을 계산하기 위해서는
재산세, 소득세와 같은 세금이나, 중개수수료, 유지보수비용, 감가삼각비, 대출이자까지 같이 계산해야하지만..

이해를 쉽게 하기 위해서 간략히 계산 해본거에요.

참고로 보통의 부동산 투자는 이렇게 임대소득을 목표로 하지만,

우리나라 사람들이 유독 좋아하는 아파트는 성향이 조금 달라요.

아파트는 규격화나 수치화가 너무 잘 되어있고,

우리나라는 전 세계에서 유일하게 전세제도가 있기 때문에..

방금 예로 든 카페 상가처럼 '임대수익'을 추구하기 보다는 전세를

주거나 내가 직접 살면서 '시세차익'을 추구하는 경우가 많아요.

흔히 갭투자라고 많이들 이야기하죠.

임대수익을 받는 상가와는 조금 개념이 다르다고 보면 되요.

하지만 전통적인 부동산 투자는 그런 시세차익형 갭투자가 아니라

임대를 주고 임대소득을 얻는 수익형 부동산투자에요.

구분	전통적투자	갭투자
소득형태	임대료	시세차익
리스크	낮음	높음
기대수익	낮음	높음

기욱 : 갭투자는 전세라는 다른 사람의 돈을 이용해서

레버리지로 투자하는 것이기 때문에, 기대수익은 높을 수 있겠지만

리스크도 큰 투자라는 것도 꼭 명심해주세요.

유정 : 아 이렇게 다르군요. 알겠습니다!

슬기 : 갭투자는 역시 리스크가 높은거였네요.

기욱 : 제가 동네 카페 창업을 예로 들어서

채권, 주식, 부동산 투자에 대한 개념 설명을 드렸는데요.

성공적인 투자를 하기 위해서 가장 먼저 생각할게 뭘까요?

유정 : 일단 투자할 종자돈이 있어야 해요!

기욱 : 앗! 네, 그것도 맞는말입니다. 혹시 다른 의견 있으신 분?

현수 : 공부를 많이 해야 한다?

슬기 : 투자에 촉이 좋아야 해요!

성준 : 용기도 필요한 것 같습니다. 저는 겁이 많아서..

기욱 : ㅎㅎ 다 틀린 말은 아니에요. 꼭 정답이 있는 것도 아니지만

제 생각에 카페에 투자한다고 가정했을 때 가장 먼저 봐야 할 것은

일단 '카페 장사가 잘 될 수 있을까?'에요.

유정 : 아?

기욱 : 카페 장사가 잘 되어야 모든 투자가 잘 될 수 있어요.

예를 들어 카페 사장한테 돈을 빌려주는 채권 투자의 경우

카페 사장이 열심히 커피를 팔아서, 돈을 잘 벌어야

내가 투자한 원금과 이자를 잘 갚을수 있잖아요?

유정 : 오, 그건 그렇네요.

기욱 : 주식투자도 마찬가지에요.

내가 투자한 카페 장사가 잘 되서, 카페가 돈을 많이 벌어야

배당도 받을 수 있고, 나중에 지분가치도 오를 수 있겠죠?

부동산투자도 내가 상가 임대를 준 가게의 장사가 잘 되어야
안정적으로 임대료를 받을 수 있어요.
장사가 잘 되고 사람들이 점점 모이고, 지역 상권이 좋아지면
결국 임대료도 오르고, 부동산 가치도 같이 오르기 마련이거든요.

만약 가게 장사가 안 되면.. 결국 세입자는 돈을 못 벌고
나중엔 임대료를 안 내면서 버티는 경우도 있어요. 몇 년간 소송 하
다가, 결국 보증금 다 까먹고 손해보는 경우도 많거든요.
슬기 : 어머, 그런 일도 있나요?

기욱 : 네, 그래서 채권, 주식, 부동산 투자 모두
안정적으로 이자, 배당, 임대료를 받고, 시세차익에 성공하기 위해선
일단 카페 장사가 잘 되서, 카페가 돈을 많이 벌어야 하는거에요.
꼭 카페 투자뿐 아니라 모든 투자는 똑같아요.
그래서 투자에서 가장 먼저 생각해봐야 할 것은

1) 내가 투자한 자산이 돈을 잘 벌고 있는지?
2) 앞으로도 계속 돈을 잘 벌 수 있을지?

이게 가장 중요하다고 볼 수 있어요.
어찌보면 당연한건데요.. 이런걸 고민하지 않는 분들이 많아요.
현수 : 저를 말하는 것 같아요. 아무 생각 없이 그냥 투자했는데..
기욱 : 혹시 비트코인 같은 가상화폐에 투자하신분 계실까요?

현수 : 저요.. 친구 말 듣고 코인도 꽤 많이 투자했어요..

슬기 : 저도 코인 수익률이 정말 심각한 수준이에요..

기욱 : 비트코인 같은 가상화폐를 생각해보면..

방금 얘기한 채권, 주식, 부동산과는 조금 다르다는걸 느꼈을거에요.

채권, 주식, 부동산 투자는 모두 실체가 있잖아요?

1) 채권은 돈을 빌려준 상대방이 있고
2) 주식은 내가 투자한 카페, 즉 사업이라는 실체가 있어요.
3) 부동산도 상가 건물이라는 실체가 있고요.

그리고 카페가 손님들에게 커피나 디저트를 팔아서 실제로 돈을 벌고 있고, 그렇게 번 돈으로 투자자들에게 이자, 배당, 임대료를 주고 있잖아요? 즉 채권, 주식, 부동산이라는 자산이 투자자에게 꾸준히 돈을 벌어다 주고 있는거에요.

반면 가상화폐를 생각해보면, 실체가 있다고 말하기 힘들고 카페가 사업으로 돈을 버는 것처럼, 스스로 어떤가치나 이익을 만들어내지 않아요. 이자, 배당, 임대료처럼 꾸준히 투자자에게 돈을 벌어다 주는 것도 아니에요. 오직 누군가가 더 비싼 가격으로 사주길 기대하는 시세차익만 있을 뿐이죠.

현수 : 맞아요. 듣고보니 그렇네요..

기욱 : 그래서 비트코인과 같은 가상화폐 자산은

전통적인 채권, 주식, 부동산 같은 자산에 비해서
변동성이나 리스크가 굉장히 큰 자산이라고 보면 되요.
전체자산에서 너무 큰 비중으로 투자하지 않도록 주의해야 합니다.
슬기 : 명심할께요. 너무 욕심이 앞섰던 것 같아요..

기욱 : 투자에서는 꼭 이 말을 기억하세요.
"세상에 공짜는 없다"
누구나 투자로 100% 성공할 수 있다면, 은행에 예,적금으로 돈을 맡기는 사람은 바보겠죠. 오늘 말씀드린 채권, 주식, 부동산 투자도 마찬가지에요. 가상화폐 투자는 말할 것도 없겠죠.
투자에 100%는 있을 수 없어요. 모든 투자는 리스크가 있어요.

채권에 투자했다 이자는 커녕, 원금도 돌려받지 못하거나
주식에 투자했다 주가가 폭락하거나
부동산에 투자했다 임대료도 제대로 못 받고 마음만 졸이다가
오히려 부동산 가격이 하락하는 경우도 비일비재해요.
코인 투자는 말 안해도 다들 잘 아실꺼에요.

이렇게 투자했다 손실이 날 경우 그 책임은 투자자 본인에게 있어요.
아무도 책임져주지 않아요. 오로지 스스로 책임져야 해요.
그렇기 때문에 투자할 때는 정말 신중히 고민해야 하고,
남의 말만 듣고 아무 생각 없이 하지 말고,
반드시 스스로 공부하고 판단해서 결정해야 해요.

현수 : 맞아요. 친구말만 듣고 하는게 아니었는데..

슬기 : 저도 지금에 와서 후회가 많이 되네요.

기욱 : 하지만 아직 다들 어리시고, 기회가 많기 때문에 괜찮아요.

지금부터 잘 공부하고 현명한 투자를 하면 됩니다.

유정 : 네!~

<3줄요약>

1. 대표적 투자자산 : 채권, 주식, 부동산

2. 투자한 자산이 계속 돈을 잘 벌 수 있는지가 중요

3. 책임은 투자자 본인에게 있음. 스스로 공부하고 판단해야 함.

기욱 : 혹시 인플레이션이라고 들어보셨나요?

슬기 : 물가가 오르는거요?

기욱 : 네, 맞습니다. 최근 물가가 많이 올랐죠?

이렇게 물가가 오르면, 즉 인플레이션이 생기면,

채권과 주식, 부동산 자산의 가격은 각각 어떻게 변할까요?

유정 : 글쎄요.. 가격이 오르나요?

기욱 : 채권의 경우부터 볼게요.

만약 카페사장에게 돈을 빌려줄 때, 계약기간을 10년으로 했다면,

10년후 계약만기 전까지는 아무리 물가가 많이 올라도,

이자는 처음 계약했던 그대로에요. 더 올릴 수가 없어요.

즉, 채권은 물가나 인플레이션과는 별로 상관이 없는거에요.

반면 주식의 경우도 살펴볼께요.

물가가 많이 올라서 커피나 디저트 원재료 값도 오르고, 매장 전기료도 오르고, 알바생 인건비까지 오르면 어떻게 될까요?

슬기 : 커피 값을 올리나요?

기욱 : 맞습니다. 물가와 인건비가 계속 오르면 장기적으로 커피 가격 또한 올릴 수 밖에 없어요. 그럼 카페의 매출도 같이 오르겠죠? 이처럼 주식투자는 채권과 달리, 제품이나 서비스 가격을 같이 올려서 인플레이션을 방어할 수 있는 특성이 있어요.

유정 : 오오, 신기하네요?

기욱 : 부동산 투자도 봐볼께요.

장기적으로 물가와 인건비가 오르면, 임대료 또한 같이 오를 수밖에 없어요. 인플레이션으로 어떤 부동산의 임대료가 100만원에서 150만원으로 올랐다면, 당연히 이 부동산의 가치도 상승하겠죠?

이처럼 부동산 또한 주식처럼 장기적으로 보면 물가상승과 인플레이션을 방어하는 성격이 있어요.

왜 물가가 오르는지?

통화량과 화폐가치에 대해서도 뒤에 다시 알려드릴텐데요.

일단 여기서는 '채권과 달리 주식과 부동산은 장기적으로 인플레이션을 방어한다는것'까지만 기억하면 될 것 같아요.

물론 이건 괜찮은 주식, 괜찮은 부동산에만 해당되는 거에요.

그렇지 않은 주식이나 부동산은 인플레이션과 상관없이
가격이 떨어질 수도 있다는 점도 꼭 명심해주세요.
유정 : 네~ 좋은 주식과 부동산은 물가상승을 방어한다.

기욱 : 유식한 말로는 '인플레헷지'라고도 합니다.
그래서 장기적으로는 주식과 부동산 같이 인플레이션을 헷지할 수
있는 자산에도 꼭 일정비중 이상 투자해야 해요.

인플레를 헷지할 수 없는 은행 예금, 채권에만 돈을 넣고 있으면,
시간이 지날수록 인플레이션으로 인해서 (화폐가치 하락)
내 돈의 가치가 쪼그라드는거에요.

현수 : 아, 그래서 꼭 투자를 해야하는 거군요!
기욱 : 네, 투자를 해야 하는 이유엔 수익을 내기 위해서도 있지만
내가 번 돈의 실질가치를 지키기 위해서도 있는거에요.
유정 : 투자로 내 돈의 가치 지키기. 메모메모.

기욱 : 채권, 주식, 부동산 투자의 개념에 대해서 설명 드렸는데
사실 이 중에서 가장 핵심자산은 주식이에요.
카페를 보면 결국 카페라는 사업(기업)이 잘 되야
채권 투자자도 원금과 이자를 잘 회수할 수 있고
주식 투자자도 배당금과 지분가치가 오를 수 있으며
부동산 투자자도 임대료를 잘 받을 수 있잖아요?

이 자본주주 사회도 결국 기업이 잘 돌아가야
고용이 늘고, 개인들의 소득도 올라가고, 이자와 임대료도 내면서
다른 자산들의 투자도 활성화 될 수 있어요.
그렇기에 투자에 대한 보상도 기업이 가장 큽니다.
기업을 만든 창업자와, 여기에 투자한 투자자들이,
가장 많은 돈을 벌 수 있는 구조에요.

돈을 벌려면 '사업을 하거나'
'사업에 투자하라'는 말이 바로 여기에서 나온거죠.
'사업에 투자하라'는 말은 결국 주식에 투자하라는 말이에요.
그래서 주식은 '자본주의의 꽃'으로 불리기도 한답니다.

아마 가장 쉽게 접할 수 있는 투자도 주식일꺼에요.
부동산과 달리 소액으로도 투자를 시작할 수 있기 때문인데요.
매월 월급으로 조금씩 투자해서, 시드머니를 모으기에 가장 적합한
자산이기도 해요. 변동성은 높지만, 가장 높은 수익을 올릴 수 있는
자산이기도 하고요.

구분	채권	주식	부동산
리스크	낮음	높음	중간
기대수익	낮음	높음	중간
물가헷지	불가	가능	

제7장 : 투자의 제1원칙

기욱 : 투자할 때 가장 중요한 원칙을 하나 알려드릴건데요.
이 원칙만 잘 지켜도 투자에서 절반 이상, 아니 80% 이상은 성공한
거라 보면 됩니다.
유정 : 예? 정말요?
기욱 : 네, 정말 쉬운 원칙인데.. 상담하다 보면.. 제대로 지키시는 분
이 거의 없는거 같아요.. 제가 예를 들어서 설명 드릴께요.
아무래도 익숙한 주식으로 예를 드는게 낫겠죠?
우리나라에서 가장 유명한 주식이죠? 삼성전자.
네이버나 구글에서 '삼성전자 주가' 라고 검색해보세요.

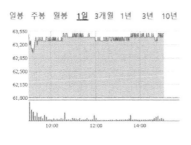

보면 삼성전자 한 주의 거래되는
가격이 63,500 원으로 나오죠?
(2023.01.25 기준)
카페로 예를 들어 설명드렸듯
삼성전자 주식을 산다는 것은,
회사지분에 투자는 것.
쉽게 말해 삼성전자라는 기업과
같이 동업하는 거에요.

삼성전자가 돈을 잘 벌면 거기에 맞게 지분만큼 배당도 받을 수 있고, 삼성전자가 버는 돈이 커지면 배당금과 지분가치(주가)도 오를 수 있는거에요. 배당금 + 시세차익을 얻을 수 있는거죠.

하지만 꼭 명심해야 하는건 삼성전자 주가가 삼성전자가 돈을 버는 만큼 거기에 딱 맞춰서 움직이지 않는다는 거에요.
수많은 사람들의 욕망과 이해관계에 의해 거래되다보니, 삼성전자가 돈을 버는 것과 관계없이 주가가 움직이는 경우가 많아요.

그래프 위쪽에 1일, 3개월, 1년, 3년, 10년 이렇게 기간을 누를 수 있어요. 지금 그래프는 1일, 즉 오늘 하루 동안의 주가 변동이기 때문에 크게 신경쓰지 않아도 되요.
기간을 1년으로 눌러볼게요. 어떤가요?

삼성전자 005930 >
63,500 ▲ 1,700 (+2.75%)

일봉 주봉 월봉 1일 3개월 <u>1년</u> 3년 10년

2023.01.25. 오후 03:06 장중

유정 : 너무 많이 떨어졌어요..
기욱 : 그렇죠..
수익률을 대략 계산해볼게요.
1년전 주가를 대충 눈대중으로
73,000원이라 하면, 현재주가
63,500원 나누기 73,000 = 87%
1년간 수익률은 100% - 87%
대략 -13% 인거에요.

슬기 : 아, 이렇게 수익률을 계산할 수 있군요?

기욱 : 네, 어느정도 떨어졌는지 대략 가늠해보는거에요.
이번에는 기간을 1년이 아니라 3년으로 해볼게요.

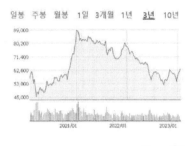

삼성전자 005930 ›
63,500 ▲ 1,700 (+2.75%)

2023.01.25. 오후 03:06 장중

대략 수익률을 계산해볼게요.
3년전 주가는 58,000원,
현재가격 63,500 나누기 58,000
= 109.5%, 3년간 9.5% 정도 수익
이 난거에요. 연수익률로 환산하
면 연 3% 정도 되겠네요.

슬기 : 너무 적은거 아닌가요?
기욱 : 네, 맞습니다.
그래도 아까 1년 투자의 경우처

럼 손실은 아니죠. 마지막으로 10년도 한번 봐볼게요.

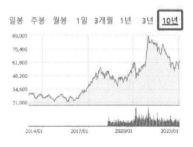

삼성전자 005930 ›
63,500 ▲ 1,700 (+2.75%)

2023.01.25. 오후 03:06 장중

유정 : 와~ 10년으로 보니까 주가
가 엄청 올랐어요~
기욱 : 한 눈에 봐도 좀 다르죠?
10년 전 주가를 대략 3만원으로
해서 계산하면,
63,500 / 30,000 = 111.6% 수익.
즉 1,000만원을 투자했다면
10년 뒤 2,111만원이 된거죠.
원금의 2배가 된거에요.

현수 : 와.. 2배.. 저는 오히려 마이너스인데..

기욱 : 그래프를 보면, 꼭 10년을 투자하지 않았어도, 대략 5년 이상만 투자했다면, 수익률이 꽤 괜찮았다는걸 알 수 있죠?

슬기 : 그렇네요. 2017년 이전에 투자했으면.. 수익률이 엄청났네요..

기욱 : 이렇듯 같은 주식도 투자시점에 따라서 수익률이 달라요. 투자에서 가장 중요한게 어떤걸까요?

유정 : 역시 존버인가요? (비속어. 존x+버티다의 합성어)

기욱 : ㅎㅎ 네 맞습니다.
투자에서 가장 중요한 건, 장기투자라고 할 수 있어요.
삼성전자도 단기적으로 보면 투자 수익이 좋지 않잖아요?
하지만 5년 이상 장기적으로 보면 수익률이 예,적금 이율보다 훨씬 높죠? 이건 꼭 삼성전자 뿐 아니라 다른 우량한 기업들도 비슷해요.
혹시 다들 사용하는 휴대폰이 어떤걸까요?

유정 : 아이폰요.

현수 : 저도 아이폰.

슬기 : 저도요.

성준 : 앗.. 저는 갤럭시..

기욱 : 아이폰 사용자가 많네요? 사실 저도 아이폰 유저에요.
아이폰을 만드는 곳은 미국의 애플이죠?
사실 애플은 전 세계에서 가장 주식가치가 큰 기업이기도 해요.
구글이나 네이버에서 애플 주가를 검색하면 아까 삼성전자처럼
기간별 주가 그래프가 나와요.

그래프 위쪽에 기간을 1년으로 해보세요.

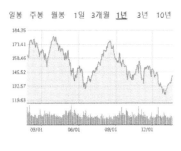

애플 AAPL 나스닥 증권거래소 >
142.53 ▲ 1.42 (1.01%)

일봉 주봉 월봉 1일 3개월 1년 3년 10년

2023-01-24 16:00 장마감

기욱 : 최근에 조금 오르긴 했지만 그래도 1년으로 보면 애플도 주가가 많이 떨어졌죠?
이것도 대략 수익률을 계산해볼게요. 1년 전 주가를 160$로 보면, 142$ / 160$ = 88%, 1년 수익률은 -12% 정도 되는거죠.
유정 : 애플도 마이너스..

기욱 : 이번엔 기간을 3년으로 해서 봐볼게요.

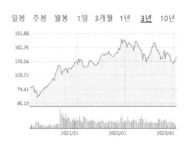

애플 AAPL 나스닥 증권거래소 >
142.53 ▲ 1.42 (1.01%)

일봉 주봉 월봉 1일 3개월 1년 3년 10년

2023-01-24 16:00 장마감

유정 : 앗? 이건 좀 다르네요?
기욱 : 한 눈에 봐도 1년 그래프와는 차이가 있죠?
3년 전 주가를 80$ 정도 보면, 142$ / 80$ = 77.5% 수익률
1년으로 보면 -12% 인데, 3년은 77% 수익이 난 거에요.
연평균 수익률로 보면 연 25% 정도 됩니다.

현수 : 와, 진짜 대단하네요.
슬기 : 아까 삼성전자랑은 많이 다르네요.

기욱 : 이번엔 10년으로 한 번 봐볼께요.

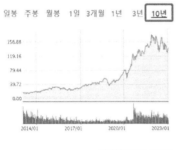

애플 AAPL 나스닥 증권거래소 ›
142.53 ▲ 1.42 (1.01%)

일봉 주봉 월봉 1일 3개월 1년 3년 **10년**

2023-01-24 16:00 장마감

유정 : 와.. 진짜 대단한데요.
그래프가 아름답네요!!
현수 : 진짜 꾸준히 우상향하네요.
기욱 : 10년 전 주가를 약 20$로
계산하면, 142$ / 20$ = 610%
1,000만원을 투자했다면 10년 후
7,100만원이 된거에요.
슬기 : 와.. 원금의 7배..

유정 : 저는 계속 아이폰만 썼는데..
애플에 투자할 생각을 못했네요.. 아아..

기욱 : 장기투자의 중요성을 설명 드리려고 보여드린거지
애플에 투자하라는건 절대 아닙니다.
아까 성준님은 휴대폰 갤럭시 사용하고 계셨잖아요?
성준 : 네.. 그렇죠.
기욱 : 갤럭시 폰은 삼성전자가 만들지만
진짜 돈이 되는.. 그 안에 소프트웨어는 구글껀거 아시죠?
성준 : 네? 아 안드로이드요?
기욱 : 네네, 안드로이드는 구글의 자회사에요.
전 세계에서 스마트폰을 사용하는 사람이 약 50억명 되는데요
그 중 약 30% 정도가 아이폰, 나머지 70%가 안드로이드에요.

결국 전 세계 50억명의 스마트폰 사용자는 애플 아니면 구글 OS 를
사용하는거죠. 이번엔 구글도 검색해볼게요.

다만 구글은 알파벳 이라는 이름으로 주식시장에 상장되어 있거든요.
알파벳 주식, 혹은 구글 주식으로 검색하면 됩니다.

일단 투자기간을 1년으로해서 볼게요.

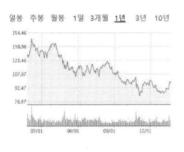

2023-01-24 16:00 장마감

유정 : 앗, 구글은 1년간 주가가
많이 하락했네요..?

기욱 : 네, 1년전 주가를 130$로
계산하면, 97$ / 130$ = 74%

1년 수익률은 마이너스 26% 정도
되는거에요. 오히려 삼성전자보다
하락률이 더 크죠. 하지만 3년으로
보면 조금 달라져요.

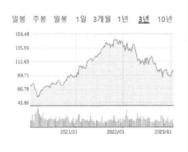

2023-01-24 16:00 장마감

애플보다는 못하지만 그래도 3년으
로 보면 주가가 꽤 올랐죠?

유정 : 네, 그렇네요. 최근 1년 사이
에 많이 떨어졌었네요?

기욱 : 네, 3년 전 주가를 70$ 라고
하면, 97$ / 70$ = 38.5%

3년동안 38.5% 수익이면 그리 나
쁘진 않죠. 연 10% 이상이잖아요?
이번엔 10년으로 봐볼게요.

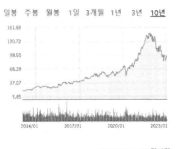

알파벳 Class A GOOGL 나스닥 증권거래소
97.70 ▼ -2.09 (-2.09%)

일봉 주봉 월봉 1일 3개월 1년 3년 **10년**

2023-01-24 16:00 장마감

유정 : 와~ 10년으로 보니까 구글도 꾸준히 올라가네요?

기욱 : 10년 전 주가를 대략 20$ 로 보면 97$ / 20$ = 385% 1,000만원 투자했다면 10년 후 4,385만원이 되는거에요. 삼성전자, 애플, 구글, 세 기업의 기간별 주가를 살펴 봤는데요 제가 표로 정리해봤어요.

<2023.01.25 investing.com 기준, 기간별 수익률>

구분	1년	3년	5년	10년
삼성	-13%	+10%	+35%	+111%
애플	-12%	+77%	+222%	+610%
구글	-26%	+38%	+385%	+385%

기욱 : 중간에 5년 수익률도 같이 넣어봤어요. 기업별로 차이는 있지만, 확실히 장기투자할수록 수익률이 좋아지는게 보이죠?

슬기 : 그렇네요. 특히 5년부터 수익률이 확 높아지네요?

현수 : 정말 존버가 답인가요?

기욱 : 장기투자는 투자의 기본이자 가장 핵심이에요.

아무리 좋은 자산에 투자했다 하더라도 단기간에는 수익이 나지 않을 수도 있어요. 애플과 구글 조차도 1년으로만 보면 마이너스 손실이잖아요? 하지만 장기적으로 보면 은행 이자 이상의 큰 수익을 얻을 수 있었죠.

유정 : 장기투자라 함은 기간이 정해져있을까요?

3년? 아니면 5년? 정말 10년 존버해야 하나요?

기욱 : 아래 자료를 한 번 볼께요.

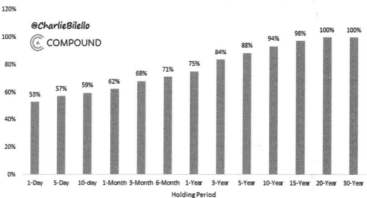

<출처 : charliebilello compound>

기욱 : 이건 미국 주식시장에 투자했을 때, 투자기간에 따른 투자성공률을 나타낸 그래프에요. 투자기간이 길수록 투자 성공률도 같이 높아지는게 보이죠? 장기투자의 중요성은 이처럼 100년간의 데이터가 말해주고 있어요.

하지만 정말 1%의 리스크도 없이 완벽하게 투자에 성공하려면 20년 이상 투자해야 하는데.. 솔직히 20년 이상 투자하긴 어렵잖아요?

투자기 때문에 100% 확실한건 없어요.

어느정도의 리스크는 감수하고 투자하는거죠.

투자기간은 길면 길수록 당연히 좋지만, 굳이 최소 투자기간을 정해야 한다면, 3년으로 이야기하는 분들이 많아요.

3년 이상 투자했을 때의 성공률이 84%로 꽤 높잖아요?

저 개인적으로는 조금 더 길게 최소 4~5년 정도는 보라고 말씀드리고 있는데 이것도 꼭 정답은 아니에요.

유정 : 아, 투자기간은 길면 길수록 좋다. 최소 3~5년 메모메모.

기욱 : 혹시 지금 투자하고 계신 세 분은 처음 투자를 결정하셨을 때 투자기간에 대해서도 생각해보셨을까요?

현수 : 저는 한 달이나 두 달정도 생각했다가.. 물려서..

슬기 : 저도 투자기간을 특별히 생각하지 않았던 것 같아요.

성준 : 장기투자로 생각은 했는데.. 이제 곧 결혼해야 해서.. 어떻게 될지 모르겠습니다.

기욱 : 방금 성준님이 핵심을 말씀해주셨어요.

여러분, 소크라테스 아시죠?

유정 : 네~ 철학자 할아버지.

기욱 : 소크라테스의 가장 유명한 명언이죠.

"너, 자신을 알라"

저는 이 말이 투자에 있어서 가장 중요하다고 생각해요.

다들 저에게 투자에 대해서 물어볼 때 어디에 투자해야 하는지?

어떤 주식이 좋은지? 이런 것들만 물어보시는데요.

사실 그보다 더 중요한건, 먼저 스스로를 파악하는거에요.
앞으로 내가 어떤 재무계획과 목표를 가지고 있는지?
이걸 알아야 내가 장기투자를 얼마나 할 수 있는지도 알 수 있어요.
즉 우리 스스로를 먼저 알아야 투자계획도 세울 수 있는거에요.
어디에? 어떤 주식에 투자하느냐는 그 다음 문제죠.

성준님의 경우처럼.. 1년 뒤에 결혼이 예정되어 있는데 너무 무리하게
투자를 계획한다면.. 1년 뒤 시장이 안 좋아져서 손실을 보고 돈을 불
가피하게 빼야 할 수도 있어요. 그래서 단기적으로 필요한 돈으로는
처음부터 투자하면 안되었던거에요.
성준 : 아.. 그렇네요

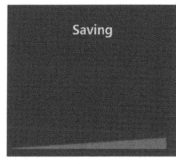 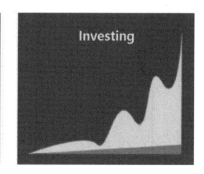

<출처 : 트위터 @BrianFeroldi>

기욱 : 사실 투자는 심플해요.
Saving 저축은 은행 예,적금이에요. 리스크는 없지만, 이율은 낮죠.
반면 Investing 투자는 예,적금과 달리 리스크와 변동성은 크지만
장기투자했을때 기대수익이 높죠. 하이리스크, 하이리턴인거에요.

<2023.01.25 기준 투자기간별 수익률>

구분	1년	3년	5년	10년
삼성	-13%	+10%	+35%	+111%
애플	-12%	+77%	+222%	+610%
구글	-26%	+38%	+385%	+385%

기욱 : 기간에 따른 수익률 데이터도 같은 맥락이에요.

그래서 우리가 성공적인 투자를 하기 위해서는

먼저 재무계획을 세워야해요.

자신만의 계획과 필요한 기간, 우선순위 등을 적어보고

기간에 따라 단기와 중장기로 나눠보세요.

Saving	Investing
1년후 여행자금	5년후 시드머니
2년후 결혼자금	10년후 주택자금
3년후 독립자금	30년후 노후자금

기욱 : 예를 들어 여행자금, 결혼자금, 독립자금 등

1~3년 단기적인 목표는 안전하게 은행의 예,적금으로 준비하고,

주택자금, 노후자금 등 장기적인 목표들에 대해선

은행의 예,적금 + 어느정도의 투자를 같이 병행하는 거에요.

유정 : 아 이렇게 나누는거군요?

기욱 : 만약 한 달에 100만원씩 저축할 수 있다면,

이 중 얼마를 적금에 넣고, 얼마를 투자할지? 비중을 정해야 해요.

저마다 재무계획이나 투자성향이 다르기 때문에 꼭 정답은 없어요.
결혼을 앞 둔 성준님처럼 단기적으로 돈이 많이 필요한 분이거나,
너무 큰 비중으로 투자하기에 심적으로 부담이 큰 분이라면 투자보
다 은행의 예,적금 비중을 늘리는게 좋겠죠?

반대로 4~5년 안에 특별히 목돈이 필요한 계획이 없거나,
투자에 대한 리스크를 충분히 감내할 수 있는 성향이라면
은행의 예,적금 보다 투자비중을 늘리는게 좋겠죠?

내 인생에서 정말 중요한 목표가 무엇인지?
자신의 인생과 가치관에 대한 고민이 필요하고
내가 투자리스크를 얼마나 감내할 수 있는지?
스스로의 투자성향을 잘 파악하는 것도 중요합니다.

슬기 : 진짜 한번도 생각해보지 못했는데..
그렇네요. 어디에 투자하기 이전에 나 자신부터 알아야 한다라..
현수 : 저도 이런 생각을 미처 해보지 못했어요..
투자하기 전에 미리 계획부터 세워봤어야 했는데..

성준 : 저도 느끼는게 많습니다.
결혼은 이미 1년 전부터 예정되어 있었는데..
장기투라고 생각은 했지만, 실제로는 결혼하기전까지 주가가 계속 더
오를꺼라는 욕심이 있었던 것 같습니다.

<3줄요약>

1. 투자의 제 1원칙 : 장기투자!

2. 투자기간은 길면 길수록 좋지만 최소 3~5년 이상 투자하기

3. 내 재무계획에 맞게 월 저축과 투자비중을 정하기

기욱 : 참고로 저축과 투자비중을 나눌 때
(100-나이)로 계산하는 방법도 있기는해요.
예를 들어 슬기님 같은 경우는 100-30살 을 하면 70이 나오죠?
그럼 저축액 중에서 70%를 투자하는거에요.
어릴수록 조금 더 공격적으로 투자해도 된다는 거에요.
장기투자를 할 수 있는 시간이 많이 남아있으니까.

슬기 : 아? 그런 방법이 있네요?

기욱 : 네, 하지만 나이가 어리다고 무조건 장기투자할 수 있는건 아니잖아요? 결혼이나 독립(보증금), 여행, 내집마련, 사업 등 여러 인생의 이벤트들이 있으니까요. 자신의 재무계획에 맞게 그리고 투자성향에 맞게 투자비중을 정하는게 가장 중요합니다.

유정 : 역시, 나 자신을 아는게 가장 중요하군요!

기욱 : 바로 그겁니다.

제8장 : 투자가 어려운 이유

기욱 : 오늘은 어떻게 하면 효율적으로 잘 투자할 수 있을지?
본격적인 투자방법에 대해서 알아볼건데요
지난 시간에 투자에서 가장 중요한 것은
'이 자산이 계속 돈을 잘 벌어다 줄것인가?' 여부였잖아요.
유정 : 네~ 기억나요. 카페 장사가 잘 되어야 해요~
기욱 : ㅎㅎ 네, 맞습니다. 일단 카페 장사가 잘 되야죠.
내가 투자하는 이 카페의 장사가 앞으로 잘 될지 안 될지?
혹시 어떤걸 보면 좀 파악할 수 있을까요?

유정 : 음.. 일단 커피가 맛있어야해요. 물론 디져트도요.
슬기 : 인테리어도 중요해요. 인스타에 잘 나와야하니까.
현수 : 아무래도 카페 위치도 중요하겠죠?
성준 : 사장이 믿을만한 사람인가도 중요한 것 같습니다.

기욱 : 대단하십니다. 모두 맞는 말들이에요. 지금 이야기한것처럼 카페뿐 아니라 기업에 투자할 때도 이 기업이 앞으로 잘 될 수 있을지? 여러가지를 파악해야 해요. 카페에 투자할 때처럼, 기업에 투자할 때 우리가 파악해야 할 것들을 조금 정리해봤어요.

〈투자 필수 체크리스트〉

- 지금 돈을 잘 벌고 있는 기업인지?
- 재무제표 및 사업보고서 내용
- 업종, 산업군 전체의 전망 및 성장성
- 경쟁사 현황 및 경쟁력, 비교우위
- roe, psr, per, pbr, peg 등 기초적인 밸류에이션
- 매출 및 영업이익의 성장률
- 비지니스 모델이 매력적인지?
- esg 를 잘 지키고 있는 기업인지?
- ceo 경영자는 훌륭한 인간인지?
- 대주주 및 지분관련 분쟁, 이슈체크
- 정부정책이 기업에 우호적인지?
- 금리인상이나 대외변수와 관련이 없는지?
- r&d 및 capex 등 미래에 얼마나 투자하는지?
- 자사주매입, 배당 등 주주환원에 얼마나 적극적인지?
- 패러다임이 바뀌는 기술이 등장할 수 있는지?
- 정치적인 갈등에 노출된 기업인지?
- 이런 것들 대비해서 현재 주가가 적정한 것인지?
- 미래에도 계속 성장하고 돈을 잘 벌 수 있는가?

일동 : ……

기욱 : 다들 말이 없으시네요.. 너무 어렵죠?

아마 무슨 외계어처럼 느껴지는 분들도 있을꺼에요. 이런걸 어떻게
다 보고 투자하냐 라는 생각도 드실꺼고요.

유정 : 맞아요. 무슨 말인지 하나도 모르겠어요.

슬기 : 아.. 이렇게까지 다 공부하고 투자해야하나요?

기욱 : 다들 진정하세요. ㅎㅎ 그건 아니에요.

제가 이걸 보여드린거는 이렇게 공부해서 투자하는게 아니라
오히려 반대에요. 이렇게까지 공부하지 말라고 보여드린 거에요.

유정 : 아..?

기욱 : 여기 있는거 다 하나 하나 공부하고 체크하고
완벽히 파악한 후에 투자한다 해도, 투자에 실패할 수 있어요.

제가 20년 가까이 투자를 하면서 깨달은 점은 투자와 공부는 절대
비례하지 않는다는 거에요. 공부를 많이한다고 절대 수익률이 높아지
지 않아요. 오히려 공부를 많이 하면 할수록 투자성과가 안 좋아지는
일도 많아요. 그러니 저런 것들을 다 공부하고 파악하느라 시간을 낭
비하지마세요.

유정 : 그럼 어떻게 투자해야하나요?

기욱 : 제가 차근차근 알려드릴께요. 투자하기전, 우리가 파악해야할
것들 중에서 가장 중요한 핵심은 리스트의 맨 마지막에 있어요.

"미래에도 계속 성장하고 돈을 잘 벌 수 있는가?"

기욱 : 사실 카페 투자도 똑같잖아요?
지금 잘 버는건 별로 의미 없어요. 지금 잘 벌고 있는데, 갑자기 건너
편에 스타벅스가 들어와서 카페가 망하면? 의미가 없죠.

기업도 지금 잘버는게 아니라, 앞으로도 계속 돈을 잘 벌고, 성장하
는게 중요해요. 하지만 미래의 일을 우리가 어떻게 알 수 있을까요?
바로 내일 일도 예측할 수 없는게 인간이잖아요?

슬기 : 맞아요. 예측하기 너무 힘들어요.

기욱 : 제가 지난 시간에 꼭 장기투자하라고 말씀 드렸지만..
10년, 20년 장기투자 한다고해서 꼭 성공하는 것도 아니에요.
아래 그래프를 봐볼께요.

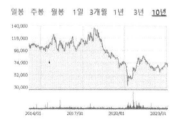

2023.02.10. 오후 04:10 장마감   2023.02.10. 오후 04:10 장마감

<2023.02.10 기준>

기 업	수익률
현대차	-25%
한국조선	-61%
포스코	-12%
삼성생명	-37%

유정 : 와.. 10년 투자했는데 다 마이너스..

기욱 : 네, 그래프가 처참하죠?

장기투자한다고 꼭 성공하는건 아니에요.

여기있는 기업들의 공통점이 하나 있는데

혹시 아실까요?

슬기 : 글쎄요.. 다 유명한 기업들같은데.

기욱 : 2010년 말 기준으로 우리나라에서 주식가치로 상위 10위 안에 있던 기업들이에요. 쉽게 말해 당시 우리나라에서 가장 우량한 기업이었단 뜻이에요. 게다가 우리나라 경제를 대표하는 상징적인 의미도 큰 기업들이었어요.

현대차는 자동차 산업, 한국조선해양은 조선업 (대우조선+현대중공업), 포스코는 철강 산업, 삼성생명은 보험 및 금융산업,,

그렇게 우리나라 경제를 대표하는, 간판 기업들이었는데 10년 장기투자의 결과는 이렇듯 처참합니다.

유정 : 그러게요. 저도 한번씩은 이름을 들어본 기업들인데..

기욱 : 이렇게 우량하고 우리나라를 대표하는 기업들도 이정도인데 그보다 작은 다른기업들은 어땠을까요?

10년 사이에 망하거나 사라진 기업들이 셀 수 없이 많아요.

그런 기업에 투자했다면..? 투자금을 전부 날리는거죠.

꼭 우리나라 기업들만 이런건 아니에요.

<2023.02.10 기준>

기 업	수익률
GE	-55%
IBM	-35%
AT&T	-33%
인텔	+26%

기욱 : 짐작하셨겠지만 이 기업들도 역시 2010년 기준 미국 주식시장에서 기업가치 상위 10위 안에 있던 기업이에요. 우량하고 훌륭한 글로벌 기업이었지만 역시 지난 10년간의 투자수익이 처참하죠. 그나마 인텔은 수익이 나긴 했지만, 10년이라는 투자기간 치고는 너무 형편없는 수준이에요. 10년간 26% 수익이면 연평균 2%, 은행이자만도 못했던거죠.

유정 : 아.. 그렇네요.

기욱 : 사실 인텔은 한 때 외계인을 가둬놓고 기술을 개발한다는 루머가 있을 정도로, 정말 세계 최고의 압도적인 기술력을 자랑하는 기업이었는데.. 이렇게 될 줄은 누구도 예상치 못했을꺼에요.

2000년말~2022년말 기준으로 미국 주식시장 1위부터 10위 기업중에서 순위를 지킨 기업은 마이크로소프트와 엑손모빌 단 두기업 뿐이에요. 20여년 전 미국의 가장 우량한 기업 10개에 분산투자 했더라도 투자성공률은 고작 20%인거에요.

유정 : 와.. 투자 너무 어렵네요..

현수 : 그러게요. 이정도면 주식투자하면 안되는거 아닌가요?

슬기 : 살아남을 20% 주식을 잘 고르면 될까요?

성준 : 그러게요. 이제 좋은 주식 잘 고르는 법을 알려주실꺼죠?

기욱 : 아쉽지만 아닙니다. 미래를 예측해서 살아남을 20% 주식을 고르는 일도 쉽지 않고, 혹 운 좋게 그런 주식을 잘 골랐다고 해도 10년, 20년 흔들리지 않고 장기투자한다는게 너무 어려워요.

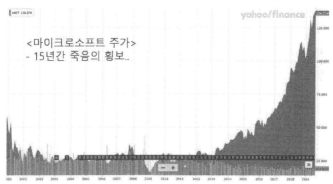

<마이크로소프트 주가그래프, 출처 : 야후파이낸스>

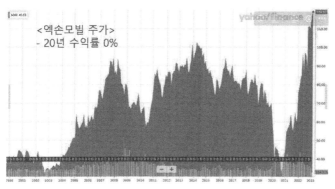

<엑손모빌 주가그래프, 출처 : 야후파이낸스>

기욱 : 20여년간 순위를 지키고 살아남았던 마이크로소프트와 엑손모빌도 주가가 계속 오르기만 했던게 아니에요.

마이크로소프트는 무려 15년 넘게 주가가 오르지 않고 횡보했고, 엑손모빌도 20년간 투자수익률이 제로였다가, 최근 몇 년에야 급격히 주가가 올랐거든요. 수익이 나지 않는데 15년~20년을 버틸 수 있는 사람이 있을까요?

슬기 : 20년.. 생각만해도 끔찍하네요..
기욱 : 제가 여러가지 자료와 이런 그래프를 보여드린건
결국 미래에 잘 될 것 같은, 그런 좋은 기업을 고르기가
너무나 어렵다는 것을 알려드리기 위해서였어요.

하루종일 공부하고 분석한다고 그런 기업을 찾을 수 있는것도 아니고, 설령 그럴 수 있다 해도 일반 직장인이 하루종일 투자에만 시간을 쏟을 수도 없겠죠. 게다가 좋은 기업을 찾았다 해도, 내가 알면 다른 사람들도 다 알겠죠? 주가가 이미 많이 올라서 고평가되어 있을 가능성이 높아요.
현수 : 맞아요. 내가 알정도면 이미 주가는 꼭대기에..

기욱 : 좋은 기업인데 주가마저 저평가된 정말 완벽한 기업을 찾았다 해도, 이게 미래에도 계속 좋은 기업일꺼라는 보장이 없어요.
처음 투자할 때는 너무 좋고 완벽한 기업이었지만..
갑자기 어느순간 나쁜 기업으로 변할 수 있는거에요.
시장의 경쟁이 갑자기 치열해지면서 이익이 낮아진다거나
산업의 패러다임이 완전히 바뀌는 새로운 기술이 등장한다거나

러시아 우크라이나 전쟁, 코로나 팬더믹 사태, 미국과 중국의 패권전쟁 등 우리가 전혀 예상치 못한 지정학적인 사건들로 인해서
좋은 기업이 언제든 나쁜 기업이 될 수 있는거죠.

<2023.02.10 기준, 10년 투자수익률>

기 업	수익률	기 업	수익률
현대차	-25%	GE	-55%
한국조선	-61%	IBM	-35%
포스코	-12%	AT&T	-33%
삼성생명	-37%	인텔	+26%

이 기업들도 예전에는 모두 훌륭하고 좋은 기업들이었어요.
사람들이 생각치도 못했던 사건들로 인해서, 갑자기 안 좋은 기업으로 바뀌었기에 주가가 오르지 못했던 거에요.
유정 : 아.. 주식투자가 정말 어려운거군요..

기욱 : 게다가 투자는 운에 좌우되는 부분이 너무 커요.
현재 미국 주식시장에서 주식가치 상위에 있는 애플, 구글, 마이크로소프트, 아마존만 봐도, 지금의 위치로 성장하기까지 운의 영향이 꽤 컸다고 말할수 있거든요.
유정 : 운이요?
기욱 : 네, 애플이 처음 아이폰을 출시했을 때, 애플의 경영진이 생각한 아이폰의 판매 목표치는 전체 휴대폰 시장의 1~5% 사이였어요.
즉, 스티브 잡스 조차도 이렇게나 아이폰이 잘 팔리고..

전 세계 50억명이 스마트폰을 매일 사용하며 인류의 삶을 바꾸게 되리라고는 예상하지 못했던거에요.

스티브 잡스와 애플의 경영진 조차 예상하지 못한 일인데,

그걸 미리 알고 애플에 장기투자한다는건 당연히 불가능했겠죠?

즉 애플에 10년 이상 장기투자해서 투자에 성공한분들은 운이 좋았던 측면도 있는거에요.

유정 : 아, 생각해보니 정말 그렇네요.

기욱 : 애플이 스마트폰의 신세계를 열고, 본격적인 모바일 시대가 시작되었을때, 정작 기존 PC시장의 강자 마이크로소프트는 여기에 적응하지 못했어요. 윈도우 스마트폰을 내놨지만 시장에서 외면받으며 주가는 한때 15년 가까이 하락하기만 했거든요.

이 때 마이크로소프트의 별명이 IT업계의 퇴물이었어요.

현수 : 아.. 아까 그래프가 그래서..

기욱 : 그 때 전자상거래 기업 아마존은 모바일 시대가 열리면서 고객들의 주문량이 폭주하자 인터넷 서버를 많이 늘렸는데요

주문량이 한가할 때, 남아도는 이 서버를 활용하는 방법이 없을까?

고민하다 세계최초로 클라우드 컴퓨팅 서비스를 하기 시작해요.

슬기 : 아, 클라우드요. 들어본적 있어요.

기욱 : 이걸 보고 마이크로소프트도 우리도 한번 해보자 하고 클라우드 서비스를 시작했는데, 특별한 아이디어가 있는건 아니었지만 여기서 대박이 나면서 다시 성장하게 된거에요.

성준 : 맞아요. 클라우드로 기사회생했죠.

기욱 : IT업계의 퇴물이었던 마이크로소프트가, 클라우드 서비스로 지금의 위치까지 성장한 것도, 사실상 운의 영역이 굉장히 컸다고 볼 수 있어요. 아마존을 따라했던 클라우드 서비스가 이렇게까지 대박이 날지는 본인들도 몰랐을꺼에요.

아마존 역시 '클라우드 서비스는 분명 대박날꺼야!' 라는 확신을 가지고 했던게 아니고, 다양한 아이디어 중에 하나였는데, 우연히 얻어 걸렸을 뿐이에요. 즉 아마존이 성장한 것도 사실은 운의 영역이 컸던거죠. 지금도 아마존 순이익의 대부분은 전자상거래가 아닌 클라우드 서비스 분야에서 나오거든요.

특히 아마존은 2000년 IT 버블이라는 역사적인 위기 바로 2주전에 큰 투자금을 받는데요. 만약 이 투자가 조금만 더 늦춰졌더라면? 지금의 아마존은 아예 존재하지 않았을지도 몰라요.

유정 : 와, 진짜 운이 중요하군요.

기욱 : 구글 또한 지금처럼 성장하게 된 데에는, 안드로이드와 유튜브를 인수했던게 컸거든요. 하지만 당시 안드로이드와 유튜브가 이렇게까지 잘 될꺼라고 예상한 경영진은 거의 없었어요. 실제로 반대를 많이 했다고 하죠. 안드로이드는 삼성에게도 인수기회가 있었던걸로 유명한데요. 만약 안드로이드나 유튜브가 구글이 아닌 다른기업에게 갔다면?

구글이 안드로이드와 유튜브를 인수하는데 있어서
경영진의 실력과 운의 비중은 몇 %였을까요?

유정 : 실력이 30%, 운이 70%?

기욱 : ㅎㅎ 그건 누구도 알 수 없겠죠.

어쨌든 애플, 마이크로소프트, 아마존, 구글의 사례를 통해 알 수 있
듯, 기업의 흥망성쇠에서 운의 영역이 굉장히 크다는건 부정할 수 없
는 사실이에요.

이렇듯 기업의 미래조차 운에 좌지우지 될 수 있는데,
그 중에서 잘 될 것 같은 기업 몇 개만 콕 찍고, 그게 미래에 잘 되
길 바라는건.. 제비뽑기처럼.. 운의 영역이 너무 큰거에요.
투자금을 잃어도 별 타격이 없는 소액이야 모르겠지만
자산에서 꽤 큰 비중을 차지하는 큰 돈을 이렇게 운의영역에 맡길
수는 없잖아요?

슬기 : 진짜 생각해보니 그렇네요.

기욱 : 무엇보다 개별주식 투자의 가장 큰 단점은, 바로 장기투자할
때 확신이 떨어진다는거에요.

유정 : 확신이요?

기욱 : 네, 사람들은 보통 주가가 오를때 확신을 가져요.
반대로 주가가 떨어지면 확신도 같이 떨어지죠.
주가가 오르면 '이 주식은 100%야! 가즈아~' 를 외쳤다가
갑자기 주가가 30% 떨어지면, 무서워서 서둘러 팔아치우는거에요.

현수 : 아.. 맞아요. 맞아요. 딱 제 얘기네요..

기욱 : 투자의 제 1원칙이 장기투자였는데,

장기투자를 지속할 수가 없어요.

주가에 따라서 투자에 대한 확신과 판단이 너무 흔들리거든요.

이 기업이 마이크로소프트처럼 결국 장기투자하면 오를 주식인지?

아니면 10년 20년 계속 내려가기만 하는 수렁같은 주식인지 확신할

수가 없는거에요.

슬기 : 지금 제가 투자한 기업들도 그래요.

장기투자해서 100% 오른다는 확신이 있으면 모르겠는데..

그게 없다보니까.. 주가에 따라서 멘탈이 같이 흔들려요..

기욱 : 그래서 참 개별주식 투자가 어렵습니다.

<개별주식 투자가 어려운이유>

1. 좋은 기업을 고르기가 힘들다

2. 좋은 기업을 골랐다해도 주가가 고평가일 가능성이 높다

3. 지금 좋은 기업이 미래에도 좋은 기업이란 보장이 없다.

4. 운에 너무 크게 영향을 받는다

5. 주가가 떨어지면 확신도 같이 떨어진다

유정 : 아.. 진짜 주식투자가 어렵네요.

그럼 어떻게 투자해야할까요?

기욱 : 그래서 저는 개별주식 투자보다는, 시장 전체에 한 번에 투자할 수 있는 인덱스투자를 권해드립니다.

유정 : 인덱스투자요?

기욱 : 네, 다들 처음 들어보시나요?

슬기 : 저는 들어본 것 같아요. ETF 같은거지요?

기욱 : 네, 맞습니다.

인덱스투자는 저 뿐만 아니라 워런 버핏을 비롯한 수많은 투자의 현인들과 투자고수들이 모두 추천하는 투자방법이에요.

투자에 대한 지식이 전혀 없어도, 열심히 공부하고 분석하지 않아도 누구나 손쉽게 투자할 수 있고요.

무엇보다 개별주식에 비하면 운에 비교적 좌지우지 되지 않는

정말 확실하고 장점이 많은 투자방법입니다.

미국 최초로 노벨 경제학상을 받은 폴 새뮤얼슨이란 분은

인류 최고의 발명품이 바퀴, 알파벳, 와인, 활자 같은게 아니라

바로 '인덱스투자'라는 말을 남기기도 했어요

유정 : 와~ 궁금해요. 인덱스투자!

< 3줄요약>

1. 장기투자한다고 무조건 성공하는게 아니다

2. 개별주식투자로 성공하기가 너무나 어렵다

3. 그러니 인류 최고의 발명품, 인덱스투자를 활용하자!

제9장 : 인덱스투자

기욱 : 제가 인덱스투자를 아주 쉽게 설명 드려볼께요.

처음 투자개요 설명 드릴때처럼 이번에도 카페를 예로 들어보면요.

동네에 카페가 100개 있다고 가정 해볼께요.

이 중에서 딱 한 곳의 카페에 투자해야 한다면?

어느 카페의 장사가 잘 될지? 예측이 쉽지 않겠죠?

만약 A카페에 몰빵투자했는데, 하필 바로 옆에 B카페만 대박나고

A카페가 망하게 되면.. 나는 투자금을 다 날리는 거잖아요?

현수 : 맞아요. 꼭 저를 얘기하는거 같네요.

기욱 : 만약 이때, 딱 한곳의 카페에만 투자하는게 아니라,

동네에 있는 100개의 카페 전체에 나눠서 투자하면 어떨까요?

대박나는 카페도 있고, 망하는 카페도 있겠지만.. 100개에 골고루 나

눠서 투자했으니 리스크가 많이 줄어들겠죠?

만약 이 동네가 카페거리로 유명해지고, 사람들이 몰려들면서

동네 카페 전체의 매출과 이익이 매년 조금씩 성장한다면

어떤 카페가 잘 될지, 망할지와 상관없이 나는 계속 돈을 잘 벌겠죠?

카페 전체에 나눠서 투자했으니까?

이렇게 시장 전체에 한번에 투자하는걸 인덱스투자라고 해요.

몇 개 기업만 콕 찝어서 투자하는게 아니라,

우량한 수 백개의 기업을 한 번에 묶어서 투자하는거에요.

유정 : 아~ 종합선물세트 같은거군요.

기욱 : ㅎㅎ 네, 비슷하다고 볼 수 있어요.

이런 수 백개 주식을 묶어놓은 인덱스는 종류가 굉장히 많은데요.

우리 주식시장에서는 코스피200 이라는 인덱스가 가장 대표적이에요
.

슬기 : 아, 코스피200? 들어본적 있어요.

기욱 : 네, 여기서 숫자 200은 기업의 숫자를 의미해요.

우리나라에서 가장 우량한 200개 기업의 묶음이죠.

만약 코스피200 인덱스에 100만원을 투자하면 100만원이 200개 기업으로 분산되서 투자되는거에요.

<2023.02.10 기준, 코스피200 상위10개 기업>

1	삼성전자	28.2%	6	현대차	2.3%
2	하이닉스	5.0%	7	카카오	2.1%
3	삼성SDI	3.6%	8	포스코	1.9%
4	LG화학	3.0%	9	LG에너지솔..	1.8%
5	네이버	2.9%	10	KB금융	1.8%

기욱 : 이건 코스피200 인덱스의 구성이에요.

200개 기업을 다 볼 수는 없으니 가장 큰 비중을 차지하는 상위 10개 기업들과 비중을 나타낸거에요.

삼성전자가 아무래도 비중이 가장 크죠?

만약 코스피200 인덱스에 100만원을 투자했다고 가정하면

그 중 28.2%, 약 28만원 정도가 삼성전자에 투자되는거에요.

유정 : 아, 그러니까 쉽게 이해가네요.

그럼 100만원 투자시, 하이닉스에는 5만원만 투자되는거죠?

기욱 : 네, 맞습니다. 역시 똑똑하십니다.

슬기 : 저 비중은 계속 고정인가요?

기욱 : 좋은 질문입니다. 정답은 '실시간으로 계속 바뀐다' 입니다.

예를 들어 삼성전자가 계속 돈을 잘 벌고 성장한다면, 투자자들이 삼성전자 주식을 더 많이 사겠죠? 그럼 삼성전자의 주식가치가 오르면서 코스피200 인덱스안에서 삼성전자의 비중도 같이 높아져요.

반대로 삼성전자가 돈을 점차 못 벌고 성장을 멈추면, 투자자들이 가망이 없다고 생각하고 삼성전자 주식을 팔겠죠? 그럼 삼성전자의 주식가치가 떨어지면서 코스피200 인덱스안에서 삼성전자의 비중도 같이 줄어드는거에요.

슬기 : 아..

기욱 : 여러 기업들의 주가는 매일, 계속 변하잖아요?

쉽게 말하면, 주식시장의 참여하는 수많은 투자자들이 코스피200의 기업별 비중을 스스로 조절하고 있는거에요. 전망이 좋다고 생각하는 기업은, 투자자들이 주식을 많이 살 테니 주식가치도 커지고, 인덱스안에서 비중도 높아지겠죠?

반대로 전망이 안 좋다고 생각하는 기업은 주식을 팔테니, 주식가치가 낮아지고, 인덱스 안에서 비중도 낮아지는거에요.
투자자들이 계속 주식을 팔아서, 주식가치가 낮아지고 실제로 기업의 실적이 나빠지고, 회복이 힘들어지면 결국 200개의 인덱스에서 퇴출되서 없어지기도 합니다.

실제로 2022년 말기준으로, 코스피200 1위부터 10위 기업중에서 20년간 순위를 지킨 기업은 삼성전자와 기아차, 두 기업뿐이에요. 나머지는 계속 순위가 바뀌었죠.
결국 인덱스투자는 시장의 수많은 기업들 중에서, 시장 참여자들이 가장 좋다고 생각하는 기업에 손쉽게 투자할 수 있는, 일종의 우량주식 선물세트라고 생각하면 될 것 같아요.
유정 : 그럼 제가 공부하거나 따로 뭘 할 필요가 없는거네요.
기욱 : 맞습니다. 그게 인덱스투자의 가장 큰 장점이죠.

네이버에서 코스피200을 검색하면 그래프도 볼 수 있어요.
코스피200에 투자했을때, 과거수익률도 한번 봐볼께요.

<2023.02.10 기준, 코스피200 기간별 수익률>

기간	수익률
1년	-13%
3년	+7.6%
10년	+19.6%

유정 : 1년 수익률은 역시 안좋네요?
기욱 : 그렇죠. 좀 더 장기로 3년으로 보면 수익이 나긴 했지만 너무 적어요.
3년간 7.6% 정도면 연평균으로 환산시, 고작 연 2% 수준의 수익인거에요.

현수 : 10년간 19.6%? 이것도 낮은거 아닌가요?

기욱 : 맞습니다. 얘도 연평균 수익으로 환산하면 고작 2% 수준.
10년 투자했는데, 오히려 은행 예금만도 못했던거죠..

유정 : 인덱스투자가 좋다고 하셨는데.. 왜..

기욱 : 인덱스투자는 정말 좋은 투자방법이지만,
이건 '코스피200'이라는 인덱스 자체의 문제일 수 있어요.
아마 2가지중 하나일텐데요.
최근 몇 년간 주가가 너무 많이 떨어지면서,
코스피200의 주가가 심각한 저평가 상태이거나
혹은 한국 주식시장 자체가 별로 투자매력이 없거나..

슬기 : 아…

기욱 : 제가 꼭 말씀드리고 싶은게 있는데요.
한국사람이라고 한국에만 투자하라는 법은 없다는거에요.
혹시 글로벌 주식시장에서 한국의 코스피가 차지하는 비중이 어느정
도인지 아시는분 있을까요?

유정 : 글쎄요.. 10%?

기욱 : 한국 주식시장은 2%도 채 되지 않습니다. 1.4% 정도?

유정 : 헉.. 그렇게 낮은가요?

기욱 : 네, 글로벌 주식시장에서 한국시장은 '아웃 오브 뎀'이에요.
너무 작은 시장이죠. 한국 주식시장에만 투자하는 분도 많은데요.
고작 1% 시장에 몰빵하고 있는거에요.

유정 : 아, 따지고 보면 그렇네요.

기욱 : 전 세계에서 가장 큰 주식시장은 역시 미국이에요.

글로벌 주식시장에서의 비중이 거의 60%나 되거든요.

유정 : 와, 60%요?? 미국 혼자서??

기욱 : 네, 그만큼 자본시장이 잘 발달되어 있고

투자하기에 매력적인 기업들이 많다는거에요.

미국에도 코스피200처럼 대표적인 인덱스가 있는데요.

혹시 S&P500 이라고 들어보셨나요?

슬기 : 어, 저 들어봤어요.

기욱 : 미국을 대표하는 500개 기업의 묶음이에요.

<2023.02.10 기준, S&P500 상위10개 기업>

1	애플	7.2%	6	메타플랫폼스	1.8%
2	마이크로소프트	6.5%	7	테슬라	1.8%
3	알파벳(구글)	3.8%	8	버크셔헤서웨이	1.7%
4	아마존	3.3%	9	유나이티드헬스	1.2%
5	엔비디아	2.9%	10	JP모건	1.2%

기욱 : 역시 비중이 가장 큰 10개 기업만 봐볼게요.

애플, 마이크로소프트, 구글, 아마존, 엔비디아, 메타(페이스북),

테슬라 등 유명한 기업들이 많이 보이죠?

유정 : 네~ 한번쯤 이름을 들어본 것 같아요.

기욱 : 미국기업들은 한국기업과 조금 다른 점이 있어요.

예를 들어, 성준님은 갤럭시 폰을 사용하고 계시잖아요?

성준 : 네

기욱 : 처음 갤럭시 폰을 살 때는, 삼성이 돈을 벌겠지만,
성준님이 플레이스토어에서 어플을 다운받고, 유튜브를 보고, 크롬에서 인터넷을 하면 돈은 누가 벌게 될까요?

성준 : 구글?

기욱 : 네, 맞습니다. 갤럭시의 운영체제인 안드로이드도 구글꺼고
유튜브, 웹브라우저인 크롬, 모두 구글꺼죠.

유정 : 아? 정말요??

기욱 : 삼성은 스마트폰을 팔 때, 한번만 돈을 벌 수 있지만,
구글은 지속적으로 계속 돈을 벌 수 있는거에요.

애플 또한 마찬가지죠.
아이폰과, IOS 운영체제 모두 애플꺼잖아요?
전 세계 50억명의 스마트폰 사용자들이 어플리케이션을 다운받고,
인터넷을 하고, 영상을 볼때마다 결국 그 데이터로 돈을 버는건
애플과 구글이 되는거에요.

유정 : 와… 대단하네요…

마이크로소프트 또한 스마트폰 OS는 갖지 못했지만,
PC OS인 윈도우와 오피스(엑셀, 파워포인트 등)를 가지고 있고
글로벌 클라우드 2위 사업자로 돈을 잘 벌고 있어요.
챗GPT를 만든 모회사 오픈AI도 마이크로소프트가 투자한 회사에요.

아마존도 단순한 이커머스 기업으로만 알고 계신 분이 많은데요,
아마존은 클라우드 비지니스를 가장 먼저 시작한 글로벌 1위 사업자
에요. 넷플릭스의 모든 영상이 아마존 클라우드에 있죠.
AI, 반도체, 로봇, 자율주행, 신재생에너지, 우주산업 등 미래 먹거리
에 가장 많은 돈을 투자하고 있는 기업이기도 합니다.
유정 : 와~ 아마존도 굉장한 기업이네요.

기욱 : 챗GPT는 마이크로소프트가 투자했지만
챗GPT가 잘 돌아가려면, 반도체 칩이 필요하거든요.
그중에서도 고성능 GPU칩이 많이 필요한데, 이 GPU칩으로 최근
돈을 쓸어담고 있는 기업이 바로 엔비디아입니다.
유정 : 아, 엔비디아도 들어봤어요.

기욱 : 다들 인스타그램 하시죠?
인스타그램과 페이스북, 두 플랫폼을 모두 가지고 있는 기업이 메타
플랫폼스에요. (구)페이스북이죠.
우리나라는 메신저로 카카오톡을 주로 사용하지만, 미국이나 유럽 등
주요 선진국 사람들은 대부분 왓츠앱을 사용해요.
이 왓츠앱 역시 메타플랫폼이 가지고 있어요.
슬기 : 그럼 플랫폼을 3개나 가지고 있네요?
기욱 : 네, 카카오톡 사용자는 불과 5천만명이지만
왓츠앱 사용자는 20억명이 넘습니다.
현수 : 헉.. 20억명이요??

기욱 : 페이스북과 인스타그램, 왓츠앱까지 모두 합치면,
중복사용자를 제외하고도 이용자수가 30억명이 넘는다고 하네요.
유정 : 와, 30억명..

기욱 : 마지막으로 테슬라도 단순히 전기차 기업으로만 알고계신 분
이 많은데, 사실 테슬라는 AI, 로봇, 에너지 플랫폼 기업이에요.
자동차 주행 데이터를 분석하여 자율주행을 합습하고
생산성을 향상시키기 위해서 AI 로봇을 만들기도 하죠.
성준 : 주변에도 테슬라 투자하는 동료들이 많더라고요.

기욱 : 네, S&P500 상위 7개 기업만 간단히 소개해봤는데요.
이 밖에도 나이키, 스타벅스, 디즈니, 넷플릭스, 코카콜라, 맥도날드
등 우리가 아는 많은 기업들이 모두 S&P500에 포함되어 있어요.
유정 : 우와.. 진짜 유명한 기업들만 있네요?

기욱 : 네, 물건을 만들어서 팔때만 한번 돈을 버는 한국기업들과는
뭔가 다르죠? 판을 깔아놓고, 지속적으로 돈을 버는 플랫폼, 소프트
웨어 기업이거나, 압도적인 기술력과 브랜드 파워로 글로벌 소비자의
선택을 받는 기업들이 많아요.
슬기 : 정말 국내기업들과 느낌이 많이 다르네요.
기욱 : S&P500 역시 상위 기업들의 순위가 계속 바뀌어왔어요.
더 혁신적이고 좋은 기업들이 계속 나타나는게 미국 주식시장의 최
대 장점이라고 할 수 있죠.

기욱 : S&P500의 기간별 수익률도 한번 봐볼게요.

<2023.02.10 기준, S&P500 기간별 수익률>

기간	수익률
1년	-9%
3년	+23%
10년	+182%

기욱 : 1년 수익률은 -9%로 별로지만,
3년 수익률은 23%, 꽤 괜찮고,
10년 수익률은 무려 182%, 확실히 장기투자할
수록 성과가 좋아진다는걸 알 수 있죠?
유정 : 와~ 182%?

기욱 : 만약 10년 전에 천만원을 S&P500에 투자했다면
원금 1,000만원과 수익금 182%, 1,920만원을 포함해서
무려 2,820만원이 되어 있는거에요.

애플, 마이크로소프트, 구글, 아마존, 테슬라, 엔비디아 같은 기업들을
미리 알고 10년 전부터 투자하는건 쉽지 않았겠지만
S&P500 인덱스로 투자하는건 누구나 할 수 있잖아요?
슬기 : 그렇네요. S&P500 투자가 좋다는 말을 얼핏 듣긴 했는데
실제로 이렇게 장기수익률이 괜찮은지는 몰랐어요.

워런 버핏이 배우자에게 남긴 유명한 말이 있어요.
"내가 죽으면 내 자산의 90%는 S&P500 인덱스에 투자하라"

유정 : 아.. 그만큼 S&P500 인덱스를 신뢰하고 있다는거네요.
기욱 : 네, 정말 특별하고 비범한 사람이 아니라면..
그냥 S&P500 인덱스에 장기투자하라고 조언하기도 했죠.

사실 인덱스투자는 시장의 평균수익률만 얻는거에요.
하지만 대부분의 사람들은 이런 평균수익률에 만족하지 못하죠.
나는 바보같은 남들과는 다르다고 생각하고, 투자해서 큰 성공을 거
둘 수 있다고 생각하지만, 현실은 그렇지 않아요.

실제로 90% 이상의 개인투자자들은 결국 손해를 보거나,
본전치기 수준이라는 여러 통계자료가 있고요.
세상에서 가장 똑똑한 사람들이 몰리는 미국 월스트리트의 펀드매니
저들조차도 10년 이상의 장기간으로 봤을때, S&P500 인덱스의 성과
를 이긴 사람이 고작 10%에 불과하다는 통계가 있어요.

기욱 : 실제로 위 그래프를 보면 전문가인 펀드매니저들이 운용하는
액티브 펀드의 장기 성과가 S&P500 인덱스보다 훨씬 떨어진다는걸
알 수 있죠. 똑똑한 전문가들조차도 이런데.. 하물며 우리같은 일반인
이 S&P500 인덱스보다 더 높은 수익을 내기가 쉽지 않겠죠?
슬기 : 음.. 그것도 일리가 있네요.

기욱 : S&P500 인덱스에 관한 일화로 워런 버핏과 헤지펀드 회장과의 내기가 유명한데요 헤지펀드는 굉장히 높은 수수료를 받고 전문가들이 대신 운용해주는 일종의 투자상품이에요.

워런 버핏은 아무리 훌륭한 헤지펀드라도 결국 S&P500 인덱스를 이기기 힘들꺼라고 했는데요. 이에 발끈한 뉴욕의 한 헤지펀드 회장이 내기를 제안한거죠.

10년간 버핏은 S&P500 인덱스에 투자하고,
헤지펀드 회장은 헤지펀드에 분산투자하여 누가 수익률이 높은지?
판돈은 100만 달러, 우리 돈으로 13억 정도였죠.
물론 판돈을 떠나서 워런 버핏 vs 헷지펀드,
세기의 대결로, 전 세계 투자자들의 관심이 집중되었어요.
현수 : 오, 흥미진진하네요.
기욱 : 다들 짐작하셨겠지만 ㅎㅎ
10년후 내기의 결과는 워런 버핏의 압승입니다.

구분	S&P500	헷지펀드
누적수익률	125.8%	36.3%
연평균수익률	연8.5%	연2.4%

워런 버핏이 투자한 S&P500 인덱스는 10년간 연평균 8.5% 수익을 냈지만, 헤지펀드는 연평균 2.4% 수익에 그쳤어요.
거의 3~4배 차이죠? 엄청난 수수료와, 내놓라하는 수많은 전문가들이 매니지먼트했지만, 결국 시장을 이길 수 없었던 거에요.

유정 : 와~ 10년의 대결! 역시 인덱스투자!

현수 : 역시 장기로 보면 S&P500 성과가 우수하군요.

기욱 : 제가 처음에 20~30대 분들에게 가장 중요한 건
일단 본업에서 성공하고, 몸 값을 올리는거라고 했잖아요?

유정 : 네네, 기억나요! 스스로에게 투자하기!

기욱 : 인덱스투자는 내가 직접 시장이나 기업을 공부하고 분석할 필
요가 없으니 시간을 많이 절약해주는 투자에요. 본업에 집중해야할
20~30대 분들에게 가장 합리적인 투자라고 할 수 있죠.

유정 : 오~ 정말 그렇네요.

슬기 : S&P500 말고 혹시 다른 인덱스도 있을까요?

기욱 : 인덱스의 종류는 사실 수백, 수천가지에요. 너무나 많죠.
'S&P500'처럼 유명한 인덱스로 '나스닥100'이라고 있어요.

슬기 : 앗, 나스닥은 들어봤어요.

기욱 : S&P500 인덱스가 500개 기업이었으니,
나스닥100은 당연히 100개 기업의 묶음이겠죠?

<2023.02.10 기준, 나스닥100 상위10개 기업>

1	마이크로소프트	12.2%	6	테슬라	3.9%
2	애플	12.0%	7	메타플랫폼스	3.3%
3	알파벳(구글)	7.5%	8	브로드컴	2.0%
4	아마존	6.3%	9	펩시	1.9%
5	엔비디아	4.4%	10	코스트코	1.8%

기욱 : 아까 S&P500의 구성과 다른점이 뭘까요?

유정 : 아까는 애플이 1위였는데 여기는 마이크로소프트가 1위에요.

슬기 : 나스닥100은 기업별 비중이 좀 더 높은것 같아요.

기욱 : 맞습니다. 나스닥100은 인덱스를 구성하는 기업이 숫자가 더 적기 때문에 기업별 비중이 S&P500보다 높을수 밖에 없어요.

하지만 둘의 가장 큰 차이점은 기업의 종류에 있어요. S&P500은 다양한 산업군에 골고루 분산되어 있는 반면, 나스닥100은 IT 및 기술주에만 집중되어 있는 인덱스에요. 기술주는 인터넷, 플랫폼, 이커머스 기업이나, AI, 빅데이터, 로봇, 반도체, 바이오테크, 신재생에너지 등 고도의 첨단기술과 관련되어 있는, 미래지향적인 기업들을 생각하면 되요.

반면 S&P500은 제조업, 소비재, 에너지, 금융업 등 뭔가 올드하고 전통적인 기업들도 모두 포함되어 있어요. 즉 전반적인 산업이 골고루 포함되어 있는 인덱스는 S&P500, IT나 첨단기술주 위주로 모여 있는 인덱스는 나스닥100, 이렇게 구분하면 될 것 같아요.

<2023.02.10 기준, 나스닥100 기간별 수익률>

기간	수익률
1년	-17%
3년	+32%
10년	+363%

기욱 : 1년 수익률은 -17%로 S&P500보다 안 좋죠. 하지만 3년 수익률은 32%, S&P500보다 조금 더 높고, 10년 수익률은 363%로 압도적으로 높죠?

슬기 : 와, 363% 대단하네요.

기욱 : 10년전 나스닥100 인덱스에 만약 천만원을 투자했다면,
원금포함 4,363만원이 되어 있는거에요. 엄청난 성과죠?

<2023.02.10 기준 각 인덱스별 수익률>

구분	1년	3년	5년	10년
코스피200	-13%	7.6%	0%	19.6%
S&P500	-9%	23.0%	57.5%	182.0%
나스닥100	-17%	32.0%	87.2%	363.6%

성준 : 와, 확실히 나스닥 수익률이 다른 인덱스를 압도하네요.

현수 : 나스닥 투자가 정답인가요?

기욱 : 투자에 정답은 없습니다. 과거에 수익이 좋았다고, 미래에도
좋으리란 보장은 없어요. 다만 3개의 인덱스 중에 유독 나스닥100의
성과가 지난 좋았던 이유에 대해서는 알 필요가 있어요.

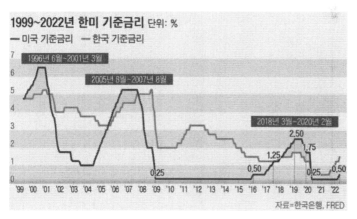

기욱 : 보다시피 금리가 미국과 한국 모두 계속 낮아지고 있죠?
거의 5~6%였던 금리가 20년동안 제로수준까지 내려왔어요.

실제로 2022년 초만 하더라도 은행이자가 1~2%대였죠.
이렇게 금리가 낮으면 사람들이 은행에 돈을 넣고 싶을까요?

슬기 : 아니죠. 이자가 너무 적으니까..

기욱 : 맞습니다. 저금리 상황에선 사람들이 예,적금보다 투자에 뛰어들어요. 주식이나 부동산투자에 적극적으로 투자하는거죠.

특히 저금리 상황에선 전통적인 기업들보다 IT나 기술기업처럼
지금 당장은 돈을 벌고 있지 않지만, 미래에 성장하고 돈을 잘 벌 것
같은 그런 기업들에 돈이 몰리거든요.
AI, 로봇, 바이오테크, 반도체, 신기술 사업 등

기술주 중심의 나스닥100의 성과가 유독 좋았던데에는
이렇듯 장기적인 저금리환경이 큰 영향을 끼친거에요.
물론 2010년부터 스마트폰이 전 세계로 보급되고, 인터넷이 전 세계
로 연결되면서, 실제로 기술의 혁신이 생겼기 때문도 크겠죠.

유정 : 아.. 저금리와 스마트폰..

기욱 : 하지만 지금은 상황이 바뀌었잖아요?
2022년 중순부터 미국이 금리를 급격히 올리고 있는데요.
물가 때문에 예전처럼 제로수준의 금리가 되는건 힘들어졌어요.
분쟁으로 원유나 천연가스 등 에너지가격이 불안정해지면서,
전통적인 에너지 기업들의 주가가 치솟기도 했고요.
이런 상황에서는 예전처럼 기술주 투자만 고집할게 아니라

에너지, 소비재, 금융 등 전통적인 산업에 대한 투자가 더 유리하다는 주장도 있어요. 그래서 앞으로는 기술주 위주의 나스닥100보다 전통적인 산업을 포함하고 있는 S&P500이 더 안정적이고 유망하다는 의견도 많아요.

하지만 또 10년, 20년 장기적으로 보면, 결국 AI를 비롯한 기술혁신은 계속될 수 밖에 없기 때문에, 기술주 중심의 나스닥100 투자가 길게 보면 더 유망하다는 의견도 있어요.
유정 : 장기적으로 보면 역시 나스닥이군요!

기욱 : 반면 이제 저금리 시대는 끝났고, 지금의 고물가나 고금리가 앞으로 수십년간 계속 고착화될거란 주장도 있어요.
AI나 로봇 등 미래에 대한 기대감만으로 기술주, 나스닥의 주가가 아직도 너무 높다는 주장도 있으니까요.
뭐가 맞고 틀린지는 누구도 확신할 수 없어요.
유정 : 아, 그렇네요..

기욱 : 코스피200도 과거 수익률로 보면 성과가 별로 안좋지만 그 말은 그동안 주가가 많이 오르지 않았다는 뜻이잖아요?
그래서 지금이 오히려 코스피200의 투자기회라는 의견도 있어요.
'동틀무렵이 가장 어둡다'라는 말도 있잖아요?
현수 : 와, 다 일리가 있네요. 어떻게 해야할지 모르겠어요.
슬기 : 그러게요. 어떤거에 투자해야할까요?

기욱 : 어떤 인덱스가 미래에 성과가 좋을지?
저도 모르고, 워런 버핏도 모르고, 사실 신도 모릅니다.
결정하기 힘들땐, 나눠서 분산투자하면 되요.
유정 : 아, 그렇네요. 나눠서 하면 되네요.

기욱 : 다만 제 개인적인 생각을 말씀드리면..,
뒤에도 설명 드리겠지만, 우리나라의 인덱스투자를 추천드리진 않습
니다. 여러가지 문제가 있는데요. 일단 글로벌 관점에서 너무 작은
시장이기도 해요. 글로벌 주식시장의 1.4%밖에 안되잖아요?
그마저도 삼성전자 한 기업이 차지하는 비중이 거의 30%라, 다양한
기업에 분산하는 인덱스투자의 장점이 희석되는 측면도 있고요.

그리고 나스닥100은 과거성과가 가장 뛰어났듯, 미래에 기대할 수
있는 수익도 가장 높을 수는 있겠지만
그만큼 리스크와 변동성도 굉장히 크거든요.
처음 투자하시는 분들은 감당하기 힘들 수도 있을 것 같아요.

그래서 저는 세 가지 인덱스 중에서 딱 하나만 투자해야 한다면
기술주와 전통적인 산업 모두를 골고루 포함하고 있는
가장 대표적인 인덱스, S&P500을 추천드립니다.
워런 버핏이나 여러 투자의 현인들이 추천한 이유가 있어요.
S&P500을 기본으로 해서 나머지 개인적으로 마음에 드는 인덱스를
조금씩 분산투자하면 좋을 것 같아요.

유정 : S&P500 인덱스 투자가 기본. 메모메모

슬기 : 저도 일단은 S&P500 투자가 좋을 것 같아요.

기욱 : 오늘은 가장 대표적인 인덱스만 알려드린거에요.

인덱스 투자는 엄청나게 다양하고 종류가 많아요.

미국 뿐 아니라 글로벌 주식시장 전체에 투자하는 인덱스,

미국, 유럽, 일본 등 선진국 시장에만 투자하는 인덱스,

중국, 인도, 베트남, 남미, 아프리카 등

신흥국 주식시장에만 투자하는 지역별 인덱스도 있어요.

기술주에만 집중 투자하는 나스닥100처럼

AI, 전기차 및 배터리, 자율주행, 로봇, 클라우딩 컴퓨터,

반도체, 바이오 헬스케어, 신재생에너지 등

각 산업별로도 수많은 인덱스가 있어요.

그래도 처음 투자하실때는 S&P500같은 기본적인 인덱스로 시작하는걸 권해드려요. 나중에 투자경험이 쌓이고, 투자에 익숙해진 후, 좀 더 다양한 인덱스에 투자해도 늦지 않습니다.

유정 : 네~ 알겠습니다! 일단 시작은 S&P500 인덱스로!

<3줄요약>

1. 수 백개 우량기업에 손쉽게 투자할 수 있음

2. 인덱스투자 성과를 이기기가 정말 쉽지 않음

3. S&P500, 나스닥100 등 대표적인 인덱스의 특성 파악하기

제10장 : 적립식투자 vs 거치식투자 vs 빚투

기욱 : 투자할 때, 2가지 방법이 있어요.

한 번에 목돈을 투자하는 거치식투자와, 매 달 조금씩 소액으로 꾸준히 투자하는 적립식투자. 이 중에 더 좋은 방법은 뭘까요?

유정 : 음.. 아무래도 적립식투자?

기욱 : 네, 흔히 적립식투자가 더 좋다고 알려져 있는데요.

이해하기 쉽게 예를 들어볼게요.

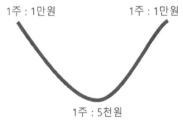

기욱 : 어떤 주식이 1주에 만원이었다가 5천원으로 떨어졌다가, 다시 시간이 지나 만원으로 회복되었다고 가정했을 때, 처음 만원일때 목돈으로 100만원을 투자했다면 백만원에서 백만원이 된거니까 수익률은 0%잖아요?

유정 : 네, 그렇죠.

기욱 : 이번엔 적립식으로 투자했을 때도 계산해볼게요.

역시 주가가 만원에서, 5천원으로 떨어졌다가, 다시 만원이 됐을때 이번엔 한번에 투자하는게 아니라, 각각 30만원씩,

세 번에 나눠서 투자하는거에요.

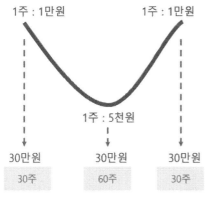

1주 : 1만원   1주 : 1만원

1주 : 5천원

30만원   30만원   30만원

30주   60주   30주

처음 주가가 만원일 때, 30만원으로 30주를 사고 5천원으로 주가가 떨어졌을 때 30만원으로 60주를 사고, 다시 만원으로 회복했을 때 30주를 살 수 있어요.
그럼 총 120주의 주식을 샀고 120주 x 주가만원 = 120만원

원금 90만원 대비 33.3%의 수익이 나는거에요.

유정 : 와~ 신기하네요? 주가는 같은데 수익이 나네요?

기욱 : 네, 물론 이해를 돕기 위해 매우 단순화 시켰지만, 결국 핵심은 주가가 낮아졌을 때도 계속 주식을 샀기 때문에 수익이 난거에요. 투자경험이 있는 분은 알겠지만, 주가는 정말 변동이 심하거든요.

현수 : 네, 맞아요. 변동이 너무 심해요.

기욱 : 주가의 고점과 저점을 정확히 맞출 수 있으면 좋겠지만 그건 불가능해요. 그래서 주가의 오르내림과 관계 없이 꾸준히 적립식으로 투자하다보면, 주식의 평균 매입가격이 내려가고, 장기적으로 주가가 오르면서 수익이 나는게 적립시투자의 장점이에요.

현수 : 오, 적립식투자 좋네요.

기욱 : 하지만 이건 주가가 하락했다가 다시 회복된 경우고 반대로 주가가 만원에서 2만원으로 올랐다, 마지막에 다시 만원으로 내려온 경우는 적립식투자의 효과가 반대로 적용되겠죠?

주가가 만원일 때 30만원으로 30주, 주가가 2만원일 때는 15주밖에 못 사고, 주가가 다시 만원일 때 30주, 그럼 총 75주밖에 주식을 못 사게 되니 75주 x 주가만원 = 75만원, 원금 90만원 대비 -17% 주가는 만원 그대로지만 오히려 손실이 발생하는거에요.

슬기 : 적립식투자가 무조건 좋은건 아니군요.

기욱 : 네 맞습니다. 적립식투자가 좋은 경우는 주가가 계속 내려가거나, 내려갔다 올라왔을 때에요. 오히려 주가가 계속 오르기만 하거나, 올랐다가 마지막에 내려왔을 때는 한 번에 목돈을 투자하는 거치식투자가 유리해요.

유정 : 아? 그럼 어떻게 투자해야할까요?

기욱 : 실제로 주식시장의 역사에서 거치식투자와, 매월 적립식투자의 수익률 차이를 한번 비교해볼게요. 포트폴리오비주얼라이저 사이트에서 제가 직접 계산해보았어요.

기욱 : 1993년 1월부터 2023년 1월까지 딱 30년간 S&P500 인덱스에 천만원을 거치식투자 했을 때 연평균수익률은 9.72%, 최종잔고는 1억6천만원이 됩니다. 원금대비 누적수익률은 1,530%가 되는거에요.

유정 : 와~ 진짜 대단하네요

슬기 : 그러게요. 연평균수익률 9.7%? 그렇게 높지 않아보이는데 30년으로 쌓이니까.. 엄청나군요..

<1993년1월~2023년1월 S&P500 거치식투자>

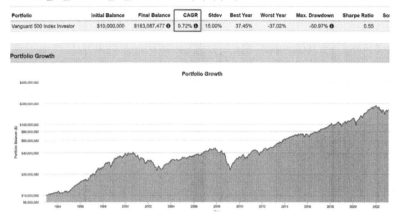

Portfolio	Initial Balance	Final Balance	CAGR	Stdev	Best Year	Worst Year	Max. Drawdown	Sharpe Ratio	So
Vanguard 500 Index Investor	$10,000,000	$163,087,477 ❶	9.72% ❶	15.00%	37.45%	-37.02%	-50.97% ❶	0.55	

기욱 : 워런 버핏같은 투자의 현인들이 S&P500 투자를 추천한 이유
가 여기에 있어요. 지난 30년동안 IT 버블붕괴, 서브프라임 모기지
사태, 코로나 팬더믹 위기 등 금융위기나 큰 경기침체를 여러번 겪었
지만 결국은 주가가 꾸준히 우상향 해왔기 때문이에요.
현수 : 역시 S&P500, 믿음이 갑니다.

기욱 : 이번에는 거치식이 아닌 적립식투자도 비교해볼께요.
위의 거치식투자와 비교를 쉽게 하기 위해서.
1,000만원 / 30년(360회) = 매월 27,777원을 꾸준히 적립식으로
30년간 투자했다고 가정해본거에요.
투자원금 1,000만원 대비 최종잔고는 6,443만원
누적수익률은 544%, 물론 나쁘지는 않지만,
거치식 투자수익률 1,530% 보다는 훨씬 낮죠.
유정 : 그러게요. 적립식투자가 더 안좋네요?

<1993년1월~2023년1월 S&P500>

구분	거치식투자	적립식투자
원금	1,000만	
최종잔고	1.6억원	6,443만원
수익률	1,530%	544%

기욱 : 네, 장기적으로 주가가 꾸준히 우상향 해왔기 때문인데요.
30년 전 한번에 돈을 투자했던 거치식투자의 실제 투자기간이 훨씬
길기 때문에 당연한 결과에요. 예금과 적금의 실제 거치기간과 수익
률이 다른것과 비슷하다고 보면 됩니다.
유정 : 아, 그렇네요. 실제 투자기간 자체가 다르니까..

기욱 : 기간에 따라 다르지만 지난 수 십년간의 데이터를 보면
거치식투자가 적립식투자보다 70% 정도 더 성과가 좋았다고 해요.
슬기 : 그럼 역시 거치식투자가 더 유리한건가요?
기욱 : 네, 맞습니다. 과거 수익률이나 확률 등 숫자로만 보면
장기투자했을때, 거치식투자의 성과가 뛰어난게 사실이에요.

하지만.. 우리는 숫자나 확률로만 움직이는 로봇이 아니잖아요?
따뜻한 피가 흐르고, 감정이 있는 인간이에요.
그렇기에 투자에서 꼭 숫자 뿐 아니라 심리적인 면도 고려해야해요.
유정 : 심리적인면이요?
기욱 : 제가 예를 한번 들어볼께요.

<2000년1월~2005년1월 S&P500 거치식투자>

Portfolio	Initial Balance	Final Balance	CAGR	Stdev	Best Year	Worst Year	Max. Drawdown	Sharpe Ratio	Sort
Vanguard 500 Index Investor	$10,000,000	$8,646,706 ❶	-2.82% ❶	16.23%	26.50%	-22.15%	-44.82% ❶	-0.26	

기욱 : 2000년 1월에서 2005년 1월까지 S&P500 그래프인데요.

처음 투자원금 1,000만원이 5년후 오히려 864만원으로 줄어들죠?

유정 : 아? 오히려 마이너스네요?

기욱 : 네, 5년 투자했는데.. 오히려 원금손실이 생긴거에요.

그리고 우측 위에 표시한 부분을 보시면, 이건 최대 하락폭이에요.

투자기간동안 주가가 최대 -45% 폭락한적이 있다는 거에요.

슬기 : 와.. 45% 폭락.. 거의 절반이네요.

기욱 : 5년 장기투자했는데.. 결국 원금손실이고,

그 사이에 주가가 절반가까이 폭락했다?

이걸 버틸 수 있는 투자자가 있을까요?

현수 : 아니요.. 생각만해도 너무 끔찍한데요..

기욱 : 반면 같은 기간 적립식투자도 한번 비교해볼께요.

적립식투자는 5년후 최종 잔액이 1,204만원으로 손실이 발생했던

거치식투자와 달리 오히려 20% 수익이 났어요.

그리고 수익률보다 중요한 것. 아까 거치식투자는 최대 45% 주가가 폭락했었지만, 적립식투자는 최대 주가 하락폭이 고작 -8%에요. -45% 와 -8%, 어느쪽이 더 버티기 쉬울까요?

슬기 : 아.. 적립식투자는 변동성을 줄여주는군요?

기욱 : 네, 바로 그거에요.

\<2000년1월~2005년1월 S&P500\>

구분	거치식투자	적립식투자
원금	1,000만	
최종잔고	864만원	1,204만원
최대하락	-45%	-8%

기욱 : 적립식투자의 가장 큰 장점은 높은 수익률이 아닌 변동성을 줄여주기 때문에 안정적으로 장기투자 할 수 있다는거에요. 수익률이나 성공확률 같은 숫자뿐 아니라 심리적인면도 봐야한다는 게 이런 의미에요. 아무리 수익률이 높아도, 중간에 주가하락을 견디지 못하고 팔아버리면.. 의미가 없는거잖아요?

성준 : 그렇네요. 중간에 팔아버리면..

기욱 : 같은기간 나스닥100 인덱스 성과도 살펴볼게요. 최초원금 1,000만원이 5년후 413만원으로 쪼그라들어요. 5년 투자했는데 무려 -60% 폭락한거에요. 게다가 5년동안 최대 주가의 하락폭은 -80%가 넘습니다.

현수 : 와… 무섭네요…

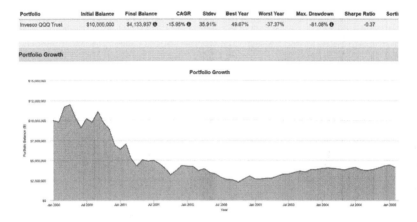

Portfolio	Initial Balance	Final Balance	CAGR	Stdev	Best Year	Worst Year	Max. Drawdown	Sharpe Ratio	Sorti
Invesco QQQ Trust	$10,000,000	$4,133,937 ❶	-15.95% ❶	35.91%	49.67%	-37.37%	-81.08% ❶	-0.37	

기욱 : 5년 장기투자했는데 -60% 손실이고, 심지어 중간에 -80% 넘게 폭락한다? 이걸 버틸 수 있는 투자자는 진짜 흔치 않을꺼에요.
유정 : 맞아요. 너무 무섭네요.

기욱 : 반면 같은기간 적립식투자의 성과도 비교해볼게요.
5년후 최종 잔액이 1,106만원으로 오히려 10% 수익이 났어요.
게다가 5년간 최대 주가 하락폭은 -20% 정도로,
아까 거치식투자의 -80%에 비하면 정말 준수한 수준이잖아요?
유정 : 네~ -20% 정도는 그래도 버텨볼 수 있을것 같아요.

<2000년1월~2005년1월 나스닥100>

구분	거치식투자	적립식투자
원금	1,000만	
최종잔고	413만원	1,106만원
최대하락	-80%	-20%

기욱 : 이렇듯 적립식투자는 거치식투자보다 꼭 수익률이 우수하기 보다는, 변동성을 줄여주기 때문에 꾸준히 장기투자를 유지할 수 있다는 장점이 있는거에요.
물론 위에 예시로 들었던 기간은 IT버블붕괴라는 정말 이례적인 사건이 있었기 때문에 좀 극단적인 케이스긴 해요.

이런 특별한 기간을 제외하면 대부분의 경우(약 70%)
적립식투자보다 거치식투자의 성과가 뛰어났던 것도 사실이에요.
하지만 우리는 인간이기 때문에 아무리 70%의 확률로 거치식 투자가 유리하다고 해도 나머지 30%의 리스크를 생각하지 않을 수 없어요. 하필이면 내가 그 30%에 해당될 수도 있잖아요?

슬기 : 맞아요, 꼭 제가 거기에 걸릴것 같아요..
기욱 : 다행히 30%에 해당되지 않았다고 해도, 투자하는 중간에 5~6년 이상 장기간 주가가 지지부진하거나 -40~50% 심지어 나스닥의 경우처럼 -80% 주가가 폭락해버리면 이걸 버틸 수 있는 투자자는 거의 없을꺼에요.

거치식투자보다 기대수익률이 조금 낮을 수도 있겠지만
적립식으로 꾸준히 투자하는 것은 여전히 괜찮은 방법이에요.
그리고 한 번에 3천만원 목돈을 투자할 수 있는 사람보다는
한 달에 30만원씩 꾸준히 투자할 수 있는 사람이 더 많잖아요?
유정 : 네, 맞아요. 월급에서 꼬박꼬박요.

기욱 : 매월 30만원이 그리 큰 돈이 아닌 것 같지만, 30만원을 꾸준히 S&P500 인덱스에 30년간 투자했다고 가정해볼께요.

<1993년1월~2023년1월 매월 30만원 S&P500 적립식투자>

Portfolio	Initial Balance	Final Balance	CAGR	TWRR	MWRR	Stdev	Best Year	Worst Year	Max. Drawdown	Sharpe Ratio	So
Portfolio 1	$1.00	$538,812,942 ❶	85.09% ❶	9.72%	9.24%	15.00%	37.45%	-37.02%	-50.97% ❶ (-46.14%) ❶	0.55	

* The number in parentheses shows the calculated value taking into account the periodic contributions.

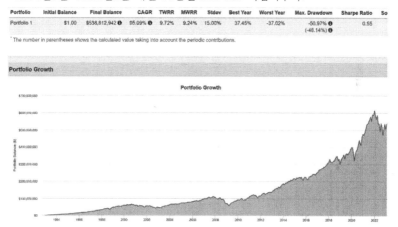

Portfolio Growth

기욱 : 보다시피 최종금액은 무려 538,812,942원.
매월 30만원이 5억는 정말 엄청난 돈이 되어있죠?
유정 : 우와~ 5억.. 와..
기욱 : 이렇듯 투자할 때는 꼭 숫자나 확률로만 판단하면 안되요.
투자를 꾸준히 유지할 수 있도록, 감정이나 심리적인 면도 고려해야
해요. 만약 과거의 성과, 확률 등 숫자로만 투자를 판단한다면 거치
식투자가 아니라 아예 대출받아 투자하는게 가장 유리해요.

30년간 S&P500의 수익률이 1,530%였는데, 만약 30년 전에 대출받
아 투자했거나, 레버리지로 투자했다면 훨씬 수익이 컸겠죠?
유정 : 레버리지요?

기욱 : 네, 레버리지는 100만큼 투자해, 200 혹은 300의 효과를 내게 하는 투자방법이에요. 대출 받아서 투자하는것과 비슷한 효과가 있어요. 만약 3배 레버리지로 30년 전 S&P500에 투자했다면 누적수익률은 1,530%가 아니라 3배인 4,590%겠죠.
(물론 중간에 수수료와 비용은 계산하지 않았습니다..)

슬기 : 진짜 그렇네요? 제 주변에도 3배 레버리지 투자하는 친구들이 있어요. 저도 친구말 듣고 고민했었는데..
기욱 : 하지만 레버리지는 떨어질 때도 3배로 떨어져요.
주가가 10% 하락하면 -30%, 주가가 20% 하락하면 -60%
주가가 30% 하락하면 -90% 원금의 10%만 남는거죠.
유정 : 헉…

기욱 : 아까 S&P500도 40~50% 하락한 적이 있고
나스닥100은 80% 넘게 하락한 적이 있었잖아요?
… 레버리지로 투자했는데 이렇게 폭락하면.. 끝인거죠..
만약 대출까지 받아서 투자했다면..
그 와중에 대출이자까지 내야하니.. 더 답이 없죠..

현수 : 와, 레버리지나 대출로 투자는 진짜 무서운거네요.
기욱 : 사실 우리나라 투자자들이 가장 많이 투자한 해외주식 중 하나가 TQQQ 라는 나스닥 3배 레버리지 상품인데요. 말 그대로 나스닥100 인덱스의 3배로 주가가 움직이는 투자상품이에요.

하필이면 2022년 주가의 고점에서 유행하기 시작했어요.
고점에서 거의 30% 가까이 주가가 하락하기도 했으니
고점에 물린 투자자들은 거의 80~90% 손실을 입게 된 거에요.
(글을 쓰던 2023년 초 기준입니다. 2023년 말에 다시 회복함)

유정 : 와.. 무섭네요..
기욱 : 레버리지 투자는 정말 리스크가 큰 투자상품이에요.
바닥 밑에 지하가 있다는 투자격언이 있거든요.
주가의 바닥이 어디인지는 아무도 몰라요. 내가 생각한 것보다 훨씬
더 많이 떨어질 수도 있어요.
현수 : 맞아요, 절실히 깨닫고 있습니다.

기욱 : 지금이 정말 바닥이라는 행복한 가정을 한다 해도,
아까 예시를 들었던 기간처럼 5~6년간 주가가 오르지 않고 장기간
횡보하면 이게 더 지옥일 수 있어요.
대출은 고금리의 대출이자를 계속 내야 하고, 레버리지 투자도 비용
을 부담해야 해요. 세상에 공짜는 없어요.

100을 투자했는데 200이나 300의 효과를 내려면 그만큼 레버리지
스왑비용과 수수료 등을 금융회사에 내야 하거든요. 지금처럼 금리가
높은 시기에는 상당히 부담이 될 수 있어요.
슬기 : 아, 레버리지 투자는 그런 비용이 있었군요.
기욱 : 물론 앞으로 5~6년간 주가가 횡보한다는건 아니에요.

하지만 미래의 일은 아무도 알 수 없잖아요?
그러니 목돈을 너무 무리하게 한 번에 투자한다거나,
대출을 받아서 투자하거나, 2~3배 레버리지 상품에 투자를 하는건
가급적 하지 않는걸 추천드립니다.

우리 모두 행복한 삶을 위해서 투자도 하는거잖아요?
대출 받아서 혹은 2~3배 레버리지로 큰 돈을 무리하게 투자했다면
과연 밤에 발 뻗고 마음 편히 잘 수 있을까요?
그렇게 투자하는게 심리적으로 행복할 수 있을까요?
유정 : 맞아요. 행복하려고 투자하는건데..
오히려 그렇게 되면 불행할것 같아요.

기욱 : 반면 대출이 없고, 여유돈으로, 꾸준히 적립식 투자를 하면
향후 몇 년간 시장이 지지부진 하더라도 버틸 수 있어요.
게다가 20~30세대 분들은 나이가 어리고, 계속 근로소득이 있기 때
문에 오히려 싼 가격에 좋은 자산을 오랫동안 모아갈 기회가 될 수
도 있죠. 자본주의의 역사를 보면, 어떤 위기가 와도 결국 극복하고
주가가 회복되어 꾸준히 우상향하거든요.

유정 : 장기적으로는 꾸준히 우상향! 메모메모.
기욱 : 그러니 꼭 숫자나 확률적으로 높은 수익률을 쫓기 보다는
수익률이나 성과가 조금 낮을 수도 있겠지만, 심리적으로 오랫동안
투자를 유지할 수 있는 편이 더 나아요.

기욱 : 경제나 투자에 대해 아무것도 모르는 사람도,
S&P500 인덱스에 매월 30만원씩, 30년간 꾸준히 투자하면
5억이 넘는 목돈을 준비할 수 있잖아요?
성준 : 그건 그렇네요. 누구나 할 수 있는 투자인데..
기욱 : 만약 투자금액이 매월 30만원이 아니라 60만원이었다면?
30년뒤 10억이 넘는 큰 돈을 모을 수 있죠.
유정 : 우와~ 10억!!! 그렇네요. 진짜.. 매월 60만원인데..
기욱 : 어찌보면 투자에서 정말 중요한건 뛰어난 분석력이나 지식,
수익률, 확률 등의 수학적 기교 따위가 아니라,
꾸준히 투자를 유지할 수 있는 올바른 '투자습관' 같아요.

이제 투자에 관해서 중요한 3가지를 모두 말씀 드렸어요.
다시 리마인드 차원에서 정리해볼게요.
1. 장기투자 : 최소 3~5년이상, 길면 길수록 좋다.
2. 인덱스투자 : S&P500 성과를 이기기가 정말 쉽지 않다.
3. 적립식투자 : 소액으로도 할 수 있고, 변동성을 낮춰준다

유정 : 장기투자, 인덱스투자, 적립식투자 메모메모.
현수 : 명심하겠습니다. 저는 세 가지 다 못지키고 있었네요.
슬기 : 저도 느껴지는게 정말 많아요.
그 동안 너무 무모하게 투자하고 있었던 것 같아요..
성준 : 저도 이제야 투자에 대한 개념이 좀 잡힌것 같습니다!
기욱 : 사실 투자가 어렵지 않아요.

꼭 전문가가 아니라도, 뛰어난 지식과 통찰력이 없어도
이 3가지 원칙만 지키면 누구나 투자로 성공할 수 있는데
이걸 꾸준히 지키기가 쉽지 않죠..

인류 최고의 천재중 하나로 평가받는 물리학자 뉴턴이
말년에 어이없는 회사에 전 재산을 투자했다 날리게되요.
그 때 뉴턴이 남긴 말이 있는데요.
"천채의 움직은 정확히 계산해낼 수 있었지만
사람들의 광기는 계산할 수 없었다"

슬기 : 아, 저도 들은적이 있어요.
기욱 : 하지만 저는 이 말이 틀렸다고 생각해요.
사실 뉴턴은 다른 사람들의 광기가 아닌,
자기 자신의 광기, '과한 욕심'을 계산하지 못했던거에요.
그렇기에 어이없는 회사에 전 재산을 투자했던거죠.
투자의 최대 적은 자기자신, '과한 욕심'이 아닐까 싶습니다.
유정 : 과한 욕심 내려놓기. 메모메모

< 3줄요약>
1. 과거수익률 : 레버리지 > 거치식 > 적립식투자
2. 우리는 인간이므로 심리적인 면도 고려해야 한다
3. 장기투자, 인덱스투자, 적립식투자, 올바른 투자습관 유지하기!

제10장 : 펀드 vs ETF 투자습관

기욱 : 그럼 이번엔 어떻게 인덱스에 투자할 수 있는지?
실제적인 방법에 대해서 알려드릴께요.
인덱스투자는 크게 펀드와 ETF 2가지 방법이 있어요.

<1. 펀드 : 출처 펀드슈퍼마켓>

삼성 미국인덱스증권자투자신탁UH [주식]S-P
수수료미징구·온라인슈퍼·개인연금

유형	해외주식형ㅣ연금	총보수	연 0.5%
규모	중형급(672억원)	운용사	삼성운용
기준가	1,786.74 ▼18.44 (-1.02%)

<2. ETF : 출처 naver.com>

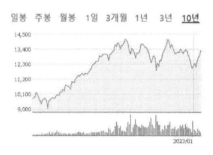

TIGER 미국S&P500 360750 ›
13,340 ▲ 130 (+0.98%)

기욱 : '삼성 미국인덱스증권자
투자신탁UH'(펀드)와
'TIGER 미국S&P500'(ETF)
둘 다 S&P500, 같은 인덱스에
투자하는 상품이지만
각각 펀드와 ETF로 투자하는
데 조금 차이가 있어요.
유정 : 뭐가 다른건가요?

기욱 : 일단 펀드는 아주 심플한데요. 내가 삼성 미국인덱스증권자투
자신탁이란 상품의 계좌를 만들고 여기에 10만원을 넣으면 이 10만
원이 S&P500 인덱스에 투자되는거에요.
유정 : 아~ 간단하네요?

기욱 : 규모가 중형급, 672억이라고 나와 있죠?
10만원, 20만원, 소액투자자 수백, 수천명의 돈이 모여서
672억이 되었고, 이걸 삼성자산운용에서 S&P500의 500개 미국주식
에 대신 투자해주는거에요. 그렇게 투자해서 수익이 나면 투자자에게
수익을 나눠주는 구조라고 생각하면 되요.

슬기 : 아, 소액투자자 돈을 모아서 대신 투자해주고,
돈을 벌면 그걸 다시 똑같이 배분해주는 거군요.
기욱 : 네, 맞습니다. 정확하세요.
우리가 직접 500개 기업에 나눠서 투자하려면, 쉽지 않겠죠?
이런 펀드 상품 덕분에 10만원, 20만원 소액으로도
미국의 500개 우량기업에 손쉽게 투자할 수 있는거에요.

유정 : 오, 10만원으로도 미국의 500개 기업에 투자할 수 있군요?
근데 펀드는 이름이 길고 좀 어려운 것 같아요.
기욱 : 네, 처음에는 그렇게 보일 수 있을꺼에요.
이름에 펀드에 대한 정보들이 다 들어가 있기 때문인데요.
즉 펀드는 이름만 보면 대략 어떤 펀드인지 알 수 있다는 뜻이에요.

삼성 미국인덱스증권자투자신탁UH [주식]S-P
수수료미징구·온라인슈퍼·개인연금

유형	해외주식형 l 연금	총보수	연 0.5%
규모	중형급(672억원)	운용사	삼성운용
기준가	1,786.74 ▼18.44 (-1.02%)		

<출처 펀드슈퍼마켓 사이트>

일단 펀드 이름의 가장 앞부분에 있는건 이 펀드를 만들고 실제로 관리하고있는 회사 이름이에요. 이 펀드는 삼성자산운용에서 만들고 운용하고 있거든요. 그래서 앞에 삼성이란 말이 붙는거에요.

그리고 회사이름 바로 뒤에 오는 '미국인덱스'가 이 펀드가 어디에 투자하고 있는지? 를 나타내는 핵심정보에요.
가장 대표적인 미국인덱스가 S&P500이었잖아요?
이 펀드는 미국인덱스인 S&P500에 투자하는 펀드에요.
유정 : 아~ 이렇게 보니 조금 알 것 같아요.
삼성에서 만든 S&P500 인덱스에 투자하는 펀드.

미래에셋 코스피200인덱스증권투자신탁1호 (주식) S
수수료후취·온라인슈퍼

유형	국내주식형	총보수	연 0.5%
규모	대형급(2,838억원)	운용사	미래에셋자산운용
기준가	1,377.64 ▼3.38 (-0.24%)		

기욱 : 얘는 이름에서 알 수 있듯이 미래에셋자산운용에서 만들었고 코스피200 인덱스에 투자하는 펀드임을 알 수 있죠?
유정 : 아, 정말 이름만 보면 다 알 수 있네요?

KB스타 미국나스닥100인덱스증권자투자신탁(주식

수수료후취-온라인슈퍼

유형	해외주식형	총보수	연 0.725%
규모	대형급(2,124억원)	운용사	KB운용
기준가	1,747.83 ▼30.41 (-1.71%)		

기욱 : 그럼 애는 어떤 펀드일까요?

유정 : KB에서 만든 미국 나스닥100 인덱스에 투자하는 펀드요!

기욱 : 네, 이렇듯 펀드는 이름만 봐도 대략 정보를 알 수 있어요.

슬기 : 그럼 ETF 와의 차이는 뭘까요?

기욱 : 네, 사실 ETF 도 펀드의 한 종류이긴 해요.

다만 삼성전자, 애플 같은 주식처럼 주식시장에 상장되어 있어서,

실시간으로 손쉽게 사고 팔며 거래할 수 있는 특성이 있어요.

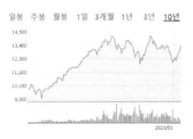

기욱 : 예를들어 'TIGER 미국 S&P500' ETF 상품의 가격이 13,340원으로 표기되어 있는데요. 이건 ETF 1주의 가격이에요. 이 ETF를 10주 사려면 133,400 원이 있어야 하는거죠.

유정 : 아.. 주식이랑 똑같군요?

기욱 : 네, S&P500 인덱스내 기업

의 주가변동에 따라서 ETF, 1주의 가격도 계속 변하는거에요.

그래서 1주당 투자할 가격과 수량을 직접 입력해야 해요.

내가 정한 금액만큼만 돈을 넣고 투자하는 펀드와는 좀 다르죠?

주식매매를 좀 하신분들이라면 ETF가 훨씬 편할꺼에요.

일반 펀드는 ETF처럼 실시간으로 거래가 힘들고, 나중에 돈을 찾을 때도 시간이 제법 걸려요. 해외펀드 같은 경우는 거의 10일 가까이 걸리기도 해요.

그래서 펀드보다 ETF가 유리한 점이 많아요.

실시간의 손쉬운 거래가 펀드보다 더 편리하기도 하고

특히 수수료, 비용이 펀드보다 훨씬 싸거든요.

유정 : 수수료요?

기욱 : 네, 세상에 공짜는 없지요.

수 백개의 기업에 손 쉽게 소액으로 투자할 수 있는 펀드나 ETF 모두 그걸 관리하고 운용하는 금융회사에 비용을 내야해요.

금융회사들도 땅 파서 장사하진 않잖아요?

유정 : 아, 그건 그렇네요.

기욱 : 금융회사에 내는 이런 비용은 적으면 적을수록 좋아요.

가장 중요한 비용은 운용보수인데요.

삼성 미국인덱스증권자투자신탁UH [주식]S-P
수수료미징구·온라인슈퍼·개인연금

유형	해외주식형ㅣ연금	총보수	연 0.5%
규모	중형급(672억원)	운용사	삼성운용
기준가	1,786.74 ▼18.44 (-1.02%)		

기욱 : 이 펀드의 총보수는 연 0.5% 라고 나와있죠?

만약 내가 이 펀드에 1,000만원을 투자했다면 1,000만원의 0.5%, 즉 5만원을 1년간 운용보수로 떼는거에요.

만약 1,000만원을 투자했는데 수익률이 0%라고 가정하면
1년후 계좌에는 0.5% 운용보수를 뗀 995만원이 남아있겠죠?

유정 : 아~ 이해했어요. 공짜는 없군요. 정말.

기욱 : 하지만 ETF의 경우는 보수가 더 저렴해요.
TIGER 미국S&P500 ETF의 경우 연간 실질적인 운용보수는 0.17%
로 펀드보다 훨씬 낮죠. 1,000만원을 투자했다면 1년간 비용은
17,000원, 같은 금액을 투자해도, 펀드 50,000원 vs ETF 17,000원,
꽤 차이가 꽤 있죠? 투자금이 커지면 차이는 더 벌어질꺼에요.

유정 : 오~ ETF가 훨씬 좋네요~
기욱 : 이렇게 이야기하면 당연히 펀드보다는 ETF에 투자해야겠죠?
유정 : 네~ ETF 투자가 더 좋은것 같아요~
슬기 : 주식매매를 하는 것과 똑같다니, 더 편리할 것 같아요.
현수 : 수수료의 차이도 꽤 많이 나고요.

기욱 : 물론 ETF의 장점이 많은게 사실이지만..
그럼에도 전 일반 직장인이 시드머니를 모을 수 있는 수단으로서
펀드가 아직 매력이 있다고 생각해요.
유정 : 예? 어떤?
기욱 : 펀드는 ETF에 없는 정말 강력한 메리트가 있는데요
자동이체를 걸어두면 내가 딱히 신경쓰지 않아도, 매월 자동으로 돈
이 빠져나가서 투자된다는거에요.

이 '자동으로' 라는 말이 정말 중요해요.
카드사와 보험사를 생각해보면 알 수 있어요. 카드값과 보험료는 대부분 자동이체 되서 그냥 빠져나가잖아요?
매 월 카드값과 보험료가 얼마나 나왔는지? 계산해보고, 직접 계좌이체하는 사람은 거의 없죠. 이렇게 되면 아마 카드사와 보험사는 돈을 못 걷어서 망할거에요.

슬기 : 진짜 그렇네요. 다 자동이체에요.
기욱 : 카드사와 보험사는 알고 있는거에요.
자동이체를 해야, 요금이 얼마나 되든, 고객들이 신경쓰지 않고 계속 카드를 긁는다는 것을.. 투자도 마찬가지에요.

내가 특별히 신경쓰지 않아도 '자동으로' 투자되게끔 시스템을 만들어야해요. ETF 투자는 이게 참 힘들어요.
ETF는 투자할 때마다 주가가 움직이는걸 보면서
얼마에 살지? 매수가격과 수량을 직접 입력해야 해요.
어쩔 수 없이 주가와 계좌잔고, 수익률을 보게 되고, 그런것들을 보는 순간, 마음이 흔들릴 수 밖에 없어요.

슬기 : 아.. 뭔지 알 것 같아요..
기욱 : 예를 들어 S&P500 ETF에 매월 30만원씩 투자한다고 가정했을 때, 처음 몇 달간은 계획대로 잘 투자할 수 있을꺼에요.
하지만 갑자기 시장에 안 좋은 뉴스가 나와서 주가가 폭락한다면?

계획대로 착실히 ETF를 살 수 있는 사람이 얼마나 될까요?

아마 -10% 하락까지는 계획대로 꾸준히 살 수 있겠죠.

하지만 시간이 지나 하락폭이 -20%, -30% 를 넘어가게 되면?

"와.. 무섭네.. 더 떨어질 것 같은데..

내 선택이 틀린걸까? 이번 달은 투자하지 말자

좀 기다렸다가 일단 상황을 지켜보자.."

이런식으로 대부분의 인간은 공포심 때문에,

처음 계획대로 착실히 ETF를 사서 모으기가 힘들어져요.

아마 있는 것도 팔아치우는 분이 많을꺼에요.

현수 : 아~ 맞아요. 정말 그래요. 무서워서..

기욱 : 그렇게 하락하던 주가가 갑자기 폭등하면 어떻게 될까요?

그러면 확신을 가지고 이번에야 말로 계획대로 착실히 ETF를 사 모을 것 같지만 의외로 이때도 ETF를 사기가 힘들어요.

"아~ 지난 달에는 주식을 더 싸게 살 수 있었는데..

갑자기 너무 오른거 아니야? 좀 아까운데..

이러다 다시 떨어지지 않을까? 조금만 더 기다려보자.."

기욱 : 그렇게 오르는 주가를 바라만 보다가,

주가가 너무 많이 올라서 고점에 이르면,

주변에서 주식투자로 돈 벌었다는 이야기가 들려오고

그제서야 기회를 놓칠것 같은 불안함과 초조함에 떠밀려

고점에서 성급하게 목돈을 투자하고, 그러다 또 주가가 하락하면..

다시는 주식투자를 하지 않겠다고 결심하죠.

현수 : 꼭 제 얘기같네요…

기욱 : 사실 대부분 사람들의 이야기에요.

뉴턴의 주식투자 실패 이야기도 말씀 드렸지만

투자에서 가장 큰 리스크는 금리나 경기나 환율, 기업실적 같은 외부 요인이 아니에요. 바로 나 자신이에요.

우리 인간의 본성이 투자와 잘 맞지 않아요.

꾸준히 일관성 있는 투자를 하기가 참 힘들어요.

<1993년1월~2023년1월 매월 30만원 S&P500 적립식투자>

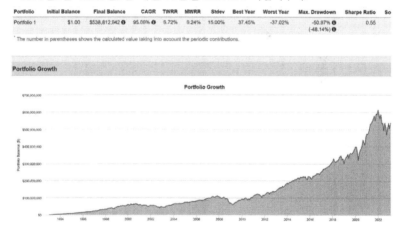

Portfolio	Initial Balance	Final Balance	CAGR	TWRR	MWRR	Stdev	Best Year	Worst Year	Max. Drawdown	Sharpe Ratio	So
Portfolio 1	$1.00	$538,612,942	95.09%	9.72%	9.24%	15.00%	37.45%	-37.02%	-50.87% (-48.14%)	0.55	

* The number in parentheses shows the calculated value taking into account the periodic contributions.

Portfolio Growth

기욱 : 이렇게 매월 30만원 적립식투자로 5억이 넘는 돈을 만드려면

결국 시장이나 주가와 상관없이 꾸준히 월급의 일정부분을

기계처럼 적립식으로 투자하는게 가장 중요하거든요.

그래서 어떤 면에서는 편리하고 수수료가 싼 ETF보다, 자동이체로
신경 안쓰고 투자할 수 있는 펀드가 유리할 수도 있는거에요.

유정 : 정말 그렇네요. 펀드가 더 좋을 수도 있을것 같아요.

기욱 : 제 개인적인 경험을 좀 말씀드리면요.

저는 25살에 처음 취업을 하게 되었는데요.

그 때 월급의 거의 70% 이상을.. 펀드투자에 올인했어요.

유정 : 헐.. 대단하세요..

기욱 : 그런데 중간에 2008년 서브프라임 모기지 사태가 터진거에요.

혹시 영화 '빅쇼트' 보신 분 계실까요?

슬기 : 오, 네 저 봤어요.

기욱 : 그 영화의 배경이 되는게 바로 서브프라임 사태였어요.

당시 S&P500 인덱스도 폭락해서 반토막이 났어요.

500개 기업의 묶음인 인덱스가 반토막 날 정도니

개별기업들은 -80~90% 폭락하거나 망한 회사도 많았어요.

제가 투자한 펀드도 당연히 충격을 받았죠.

당시 전 재산이었던 펀드가 정확히 반토막 났어요. -48%

유정 : 전 재산이 반토막…

기욱 : 하지만 다행인건 제가 펀드로 투자하고 있었다는거였어요.

그 때 이후로 더 이상 계좌를 보지 않았어요. 마음만 아프니까..

어차피 월급 나오면 70%가 자동이체 되어 투자되니까, 신경 안쓰고
제 본업에만 묵묵히 집중했어요. 열심히 일만 했죠. ㅎㅎ

회사에서 승진도 하고, 급여도 많이 오르고, 급여가 오르면 오른만큼
자동이체 금액을 늘렸어요.
이게 적립식 펀드 투자의 가장 큰 매력이자 장점 같아요.
투자에 신경 안 쓰고, 본업에만 집중할 수 있다는 것!
20~30세대는 투자보다 본업에서 성공하는게 더 중요하잖아요?

결국 -48%를 찍었던 최악의 시기에서 2~3년이 지난후
최종적으로 원금대비 40% 가까운 수익을 낼 수 있었어요.
유정 : 우와~ 결국 40% 수익~
기욱 : 네, 덕분에 취업한지 4년만인 29살에 첫 종자돈 1억을 모을
수 있었죠. 1억이 지금 생각하면 크지 않을 수 있지만..
급여가 그리 많지 않았던, 당시 저에게는 굉장한 성과였거든요.
현수 : 지금도 1억은 큰 돈이죠.. 대단하세요.

기욱 : 그때, 펀드로 투자했기 때문에 버틸 수 있었던것 같아요.
월급의 70%이상을 투자하는데, 심지어 전 재산이 주식인데
이걸 개별주식에 투자했거나, ETF로 투자했다면
월급 날마다 주식차트를 보면서 번뇌에 빠지고, 괴로워하면서
그렇게 4년간 꾸준히 투자하지 못했을 것 같아요.
슬기 : 저도 주가를 자꾸 보게되고, 너무 흔들리게 되요.
기욱 : 인간이기 때문에 어쩔 수 없어요. 펀드로 투자하시든, ETF로
투자하시든 관계는 없어요. 하지만 중요한건 인덱스에 적립식으로 장
기투자! 이 투자원칙을 끝까지 잘 지키는거에요.

나는 멘탈이 강하니까 ETF로 투자해도 원칙을 잘 지킬 수 있다고
생각되면 ETF로 투자해도 되고요. 아직 경험이 부족하거나 멘탈이
약한 분들은 처음에는 적립식펀드로 훈련을 해보다가
나중에 ETF 투자로 경험을 넓혀 가는 것도 방법이에요.

유정 : 네 일단은 펀드로 시작하고 나중에는 ETF 메모메모.
기욱 : 물론 최근에는 ETF도 펀드처럼 자동으로 적립식 매수가 가능
한 증권사가 있기 때문에 각자 확인해보면 좋을 것 같습니다.

전설적인 투자자 중에서 앙드레 코스톨라니라는 분이 있어요.
이 분이 정말 주옥같은 투자격언을 많이 남겼어요.
그 중에 제가 제일 좋아하는 말을 소개해드릴게요.
"투자에서 가장 중요한 것은, 뛰어난 머리가 아니라,
인내할 수 있는 엉덩이다"

유정 : 아, 엉덩이 ㅎㅎㅎ 인내심이 가장 중요하군요.
기욱 : 맞습니다. 만약 똑똑한 순으로 투자를 잘 할 수 있다면
경제학자나 박사들이 가장 큰 부자가 되어 있어야 하는데..
그렇지 않잖아요? 뉴턴이나 아인슈타인 같은 뛰어난 천재들도 투자
에선 큰 실패를 하기도 했고요.
유정 : 그것도 그렇네요.
기욱 : 인덱스에 적립식으로 장기투자! 이 투자원칙을 끝까지 흔들리
지 않고 잘 유지할 수 있는 엉덩이,
즉 인내심이 어찌보면 투자에서 가장 중요하다고 할 수 있습니다.

코스톨라니의 또 다른 투자격언에는 이런 것도 있어요.
"주식에 투자하라. 그리고 수면제를 먹고 자라.
10년뒤 깨어나면 부자가 되어 있을 것이다."

저는 이 말을 이렇게 바꾸고 싶어요.
"인덱스펀드에 투자하라. 그리고 본업에 집중하라.
10년뒤 확인해보면 부자가 되어 있을 것이다."

< 3줄요약>
1. 펀드보다 ETF가 편리하고 비용도 낮고 장점이 많다
2. 하지만 ETF는 꾸준히 기계처럼 적립식투자가 쉽지 않다
3. 흔들리지 않고 투자원칙을 유지할 수 있는 인내심이 가장 중요.

기욱 : 참고로 투자하실 때 한가지 유의사항이 있는데요
가급적 환헷지가 아닌 상품을 선택하면 좋습니다.
유정 : 환헷지가 뭔가요?
기욱 : 환헷지는 환율의 리스크를 방어하는 건데요. 예를 들어 1달러
에 1,200원에서 S&P500에 투자했었는데, 1년뒤 환율이 1달러에
1,000원이 된거에요? 달러가치가 20% 정도 하락한거죠.
S&P500은 달러기준 자산이라 이렇게 되면, 수익률에 상관없이 환율
로 인해서 평가금액이 -20% 손실이 생겨요.
환율변동만으로 원금 천만원이 800만원이 될 수 있는거에요.
유정 : 앗, 정말요?

기욱 : 네, 이런 환율에 대한 리스크를 막아주는게 환헷지 입니다.

유정 : 어? 그럼 환헷지가 좋은거 아닌가요?

기욱 : 이렇게만 보면 환헷지가 좋은것 같지만, 환헷지를 금융회사에서 공짜로 해주는게 아니에요. 당연히 수수료, 비용을 받고 해줍니다. 그런데 이 비용이 그닥 투명하지 않아요. 환율에 따라서 수수료가 다르기 때문에 정확히 얼마를 떼는지 파악하기가 힘들어요.

유정 : 아.. 그렇네요. 비용..

기욱 : 그리고 환율변동은 늘 손해인게 아니라 오히려 이득이 될 때도 있어요. 만약 1달러에 1,000만원일때 투자했는데, 1년뒤 환율이 1,200원이 되면 오히려 달러가치가 20% 상승한거잖아요? 그러면 S&P500 투자금의 평가금액도 20% 수익이 발생해요. 환율변동만으로 원금 천만원이 1,200만원이 될 수 있죠.

유정 : 아~ 오히려 이득이 될 수도 있군요~

<삼성미국인덱스 H 환헷지 펀드 수익률> 2023.02.20 기준

기준일 : 2023.02.20

구분	1개월	3개월	6개월	1년	2년	3년	5년	설정후
수익률	4.01%	3.21%	-5.26%	-7.16%	4.17% (연2.07%)	18.56% (연5.83%)	45.08% (연7.72%)	96.67%

<삼성미국인덱스 UH 언헷지 펀드 수익률> 2023.02.20 기준

기준일 : 2023.02.20

구분	1개월	3개월	6개월	1년	2년	3년	5년	설정후
수익률	9.23%	0.74%	-5.79%	1.45%	21.53% (연10.27%)	33.41% (연10.07%)	81.62% (연12.67%)	124.24%

기욱 : 실제로 환율의 변동 때문에 같은 S&P500 펀드라도 환헷지 여부에 따라 수익률이 달라지거든요.

위가 환헷지, 아래가 환헷지를 하지 않은 상품이에요.

5년 누적수익률이 환헷지는 45%, 환헷지 하지 않은건 81%

같은 S&P500에 똑같이 투자하는 펀드인데도,

환헷지 여부에 따라 수익률의 차이가 제법 크죠?

유정 : 와~ 차이가 거의 2배 정도 나네요?

기욱 : 최근 몇 년간 환율이 많이 올랐기 때문이기도 하고

중간에 투명하지 않은 비용과 수수료 때문이기도 해요.

물론 앞으로 환율이 어떻게 될지는 누구도 확신할 수 없어요.

하지만 우리나라의 고령화 속도나 재정부담, 가계부채, 신성장동력 상실, 수출중심의 경제 등을 고려하면 장기적으로 원화가치가 달러가치 대비 강해지기는 쉽지 않거든요.

환헷지 상품을 선택하면, 비싼 수수료까지 부담하면서

환율상승의 이익까지 놓칠 가능성이 크기 때문에,

장기투자라면 환헷지를 하지 않는 상품을 고르는게 좋습니다.

슬기 : 환헷지 여부를 어떻게 알 수 있을까요?

ETF도 환헷지 되는게 있나요?

기욱 : 좋은질문입니다.

환헷지 여부는 상품 이름만 보면 쉽게 알 수 있어요.

삼성 미국인덱스증권자투자신탁UH

삼성 미국인덱스증권자투자신탁H

기욱 : 위가 UH(언헷지), 환헷지를 하지 않은 상품이고,
아래가 H, 환헷지를 한 상품이에요. 즉 이름에 H가 붙어있으면 환헷
지, 아무것도 없거나 UH가 붙어있으면 환헷지를 하지 않은거에요.

ETF도 마찬가지인데요.
이름에 아무것도 안 붙어 있는게 환헷지가 아닌 상품이고요
(H)라고 표시되어 있는게 환헷지 상품입니다.

TIGER 미국S&P500

TIGER 미국S&P500 선물(H)

슬기 : 아, 정말 이름만 보면 쉽게 알 수 있네요.
(H)라고 표기되어 있는 상품은 가급적 피해야겠군요. 감사합니다!

기욱 : 개인블로그에 ETF CHECK 사이트를 활용하여
좋은 상품 고르는 방법을 포스팅한적이 있는데요
← 이 글을 참고하셔도 좋을것 같습니다.

유정 : 오! 쌤, 너무 감사합니다!!~

제11장 : ISA, IRP, 연금저축, 퇴직연금

기욱 : 예전 어느 산골 마을에 호랑이가 자주 나타나 사람들을 몇 일에 한 번 꼴로 잡아 먹었어요. 그럼에도 사람들이 이 마을을 떠나지 않는거에요. 한 여행자가 호랑이가 이렇게 자주 나오는 마을에 왜 아직도 살고 있냐고 묻자, 사람들이 이야기 했어요.

"여기는 세금을 안 내도 되요"

유정 : 아, 세금..

기욱 : 옛부터 세금은 호랑이보다 더 무서운 존재였나 봅니다.

사실 세금이 무섭긴 지금도 마찬가지에요.

혹시 투자수익에 대해서 세금을 얼마나 내는지 아시는 분?

현수 : 투자한거에 세금도 내야 하나요?

슬기 : … 아직은 수익이 없으니까.. 별로 신경 안썼는데..

기욱 : 예금이나 적금도 이자에 대해서 세금을 내잖아요?

주식이나 채권, 부동산 등 투자도 수익이 나면 당연히 거기에 대한 세금을 내야해요. 우리가 일을 하고 직장에서 월급 받으면, 거기에 세금을 내는 것처럼 급여든, 이자든, 투자수익이든 모든 소득에 대해서는 국가에 세금을 내야 해요.

<1993년1월~2023년1월 매월 30만원 S&P500 적립식투자>

Portfolio	Initial Balance	Final Balance	CAGR	TWRR	MWRR	Stdev	Best Year	Worst Year	Max. Drawdown	Sharpe Ratio	So
Portfolio 1	$1.00	$538,812,942 ●	95.09% ●	9.72%	9.24%	15.00%	37.45%	-37.02%	-50.97% ● (-48.14%) ●	0.55	

' The number in parentheses shows the calculated value taking into account the periodic contributions.

Portfolio Growth

Portfolio Growth

기욱 : 30년간 S&P500 인덱스에 월 30만원씩 투자했다면
최종금액은 5.4억원 정도 되는데요. 원금 1.1억을 제외한
수익금 4.3억에 대한 세금은 어느정도 일까요?

유정 : 글쎄요.. 10%정도?

슬기 : 수익의 20%로 알고 있어요.

기욱 : 같은 S&P500에 투자하는 상품이라도 우리나라 금융사 상품
인지? 해외금융사 상품인지에 따라 세율이 달라져요.

만약 미국의 가장 대표적인 S&P500 상품인 SPY ETF에
직접투자했다면 정확히 수익의 22%를 세금으로 내게 됩니다.
즉 수익금 4.3억의 22%인 9,400만원이 세금인거에요.
물론 매년 250만원을 공제해주지만, 일단 이건 감안하지 않을께요.

유정 : 아앗?.. 그렇게나 세금을 많이 떼나요..

기욱 : 네.. 세금이 참 무섭죠?

반면 앞서 소개했던 '삼성미국인덱스' 펀드나
'TIGER미국S&P500' ETF 같은 국내 금융사의 상품에 투자했다면
수익금의 15.4%만 세금으로 내면 됩니다.
슬기 : 어? 그럼 국내 상품을 하는게 더 유리하네요?

기욱 : 꼭 그렇지만은 않아요.
국내 금융상품을 통해서 수익을 내면 당장은 세금을 적게 떼지만
만약 수익금이 연 2천만원을 넘으면, 금융소득종합과세 대상자가 되
서, 급여나 사업소득 등 다른 소득과 합산하여 세금을 더 많이 내야
해요. 최악의 경우 수익의 50%를 세금으로 내야할 수도 있어요.
유정 : 헉.. 50%? 절반을 세금으로 낸다고요?

기욱 : 네, 위의 예시처럼 수익금이 4억3천만원이라면
2억 넘게 세금으로 한 번에 내야하는 불상사가 생길 수도 있어요.
물론 이건 수익금이나, 급여, 사업소득의 규모에 따라 달라지겠죠?
사실 세금은 계산하기 너무 어렵고 복잡하기 때문에 너무 디테일하
게 아실 필요는 없어요.

다만 중요한건 세금을 전혀 신경쓰지 않고 투자한다면
결국 힘들게 투자로 번 돈을 국가에 다 헌납해야 한다는 거에요.
우리사회가 점차 고령화되고 복지에 돈이 많이 들어가면서
점차 여러 분야에서 세금을 더 많이 걷을 수 밖에 없거든요.
월급에 대한 세금도 그렇겠지만, 투자에 대한 세금도 장기적으로

더 강화될 수 밖에 없어요. 그래서 다양한 세금혜택이 있는 절세계좌를 활용해서 투자해야 합니다.

유정 : 절세계좌요?

슬기 : 아, 안 그래도 물어보고 싶었어요.

연금저축? IRP? 여러가지가 있던데 뭐가 뭔지 모르겠어요.

기욱 : 제가 심플하게 정리해드릴께요.

절세계좌는 2가지로 나눌 수 있어요.

구 분	ISA	연금저축, IRP
세금혜택	최대 400만원 비과세	최대 900만원 세액공제
	9.9% 분리과세	3.3~5.5% 저율과세
	과세이연, 손익통산	수십년간 과세이연
필요조건	최소 3년유지	만55세 이후 연금수령
납입한도	연 2,000만원	연 1,800만원
투자목적	3~5년 중장기투자	노후자금 장기투자

기욱 : 이 세금혜택을 하나하나 디테일하게 이해하려면
너무 어렵기도 하고, 그렇게 큰 도움이 되는 것도 아니기 때문에
제가 중요한 부분만 설명 드릴께요.
일단 세금혜택 자체는 연금저축, IRP쪽이 훨씬 큽니다.
반면 ISA계좌의 세금혜택은 그보다는 훨씬 약해요.
당연한게 ISA는 딱 3년만 계좌에서 돈을 빼지 않고 유지하면
세금혜택을 받을 수 있거든요. 3년을 못채우고 돈을 뺀다 해도 세금
혜택만 못받을뿐, 별다른 패널티도 없어요.

반면 연금저축과 IRP의 세금혜택을 받기위해선, 만 55세까지 돈을
못 찾고, 그 이후에도 10년이상 연금으로만 돈을 받아야해요.
지금 여기 계신 분들은 앞으로 20~30년 동안 돈을 못찾는거에요.
혜택이 큰만큼 조건이 까다롭다고 보면 될꺼 같아요.

슬기 : 아, 그렇네요. 20~30년.. 진짜 장기투자네요.

구 분	ISA	연금저축, IRP
투자목적	3~5년 중장기투자	노후자금 장기투자

기욱 : 결국 3~5년 이상 투자해서 목돈을 모으려면 ISA계좌를,
20~30년후 노후자금으로 장기투자하고 싶은 분은
연금저축이나 IRP 계좌를 활용해서 투자하면 됩니다.
뭐가 좋고 나쁜건 없어요. 목적에 맞게끔 활용하면 되는거에요.

유정 : 펀드나 ETF로 투자하면 되나요?

기욱 : 네, 맞습니다. 인덱스펀드나 ETF 모두 투자 가능합니다.
다만 한국 정부에서 세금혜택을 주는 것이기 때문에 해외쪽 상품은
안되고, 국내 금융회사에서 만든 상품만 가능합니다.

슬기 : 연금저축, IRP는 세액공제 혜택이 있죠?

기욱 : 네, 세액공제 혜택이 있어서, 직장인들은 연말정산때 세금을
더 많이 돌려받을 수 있어요. 이 세액공제 혜택 때문에 연금저축,
IRP를 하는 분이 많은데요. 사실 장기적으로 보면 세액공제 혜택이
그리 크진 않아요.

슬기 : 아? 혜택이 크지 않다고요?

기욱 : 음, 정확히 말하면.. 혜택이 크지 않다기 보다는,

세액공제 혜택보다 나머지 다른 혜택이 더 크다고 할 수 있어요.

제가 예를 들어서 한번 계산해볼께요.

30살 직장인이 매월 30만원씩 연금저축 계좌로 투자했다고 가정하는거에요. 지난 수 십년간 S&P500 인덱스의 연수익률은 10% 정도 였지만, 앞으로의 성과를 확신할 수는 없으니까, 투자수익은 연 8%로 조금 더 보수적으로 계산해볼께요.

<월 30만원씩 30년 투자, 연 8% 수익기준>

투자원금	108,000,000
수익금	317,930,000
최종금액	425,930,000

유정 : 와~ 연 8% 인데도, 4억이 넘네요?

기욱 : ㅎㅎ 장기투자의 힘입니다.

여기서 연금저축이나 IRP계좌를 활용해서 투자할때와

그냥 일반계좌에서 투자할때의 세금차이를 비교해볼께요.

연금저축, IRP계좌는 만 55세 이후 연금으로 수령시, 나이에 따라서 원리금의 3.3~5.5%를 세금으로 떼는데요. 평균값인 4.4%로 계산했을 때 총 내야할 세금은 1,874만원이에요.

반면 일반계좌는 해외주식 양도소득세인 수익의 22%로 계산시 총 내야할 세금이 무려 6,994만원이 되죠.

물론 매년 250만원씩 양도소득세를 공제해주는게 있긴 한데
이것까지 계산하면 너무 복잡해지니까 일단은 제외할께요.

<일반계좌와 연금계좌 세금차이, 30만원 30년 투자시>

구 분	일반계좌	연금저축
세금총액	69,940,000	18,740,000
최종금액	355,990,000	407,190,000
차액	51,200,000	

기욱 : 같은 수익률이라도 세금 때문에 5천만원 넘게 차이나죠?
연금저축 및 IRP계좌의 진짜 혜택은 이렇듯 수익에 대해서 세금을
적게 뗀다는 거에요. 여기서 세액공제 혜택도 한번 계산해볼께요.
보통 연봉 5,500만원 미만의 직장인은 연금저축 1년간 납입금액의
16.5%의 세액공제 혜택이 있어요. 연간 360만원의 납입금액에 대해
서 세액공제 받는 금액 16.5%, 594,000원을 30년으로 곱하면..
594,000원 x 30년 = 17,820,000원.

세액공제 혜택	17,820,000
저율과세 혜택	51,200,000

기욱 : 물론 세액공제 혜택도 적다고 할 순 없어요.
다만 저율과세, 즉 세금을 적게 떼는 혜택이 훨씬 클 뿐이죠.
만약 매년 세액공제로 돌려받은 세금 594,000원을 그냥 쓰지않고
다시 연금계좌에 재투자한다면 어떻게 될까요?
슬기 : 그럼 일반계좌와의 차이가 더 벌어지겠죠?

<일반계좌와 연금계좌 세금차이> 세액공제 재투자시

구 분	일반계좌	연금저축
투자원금	108,000,000	
세액공제	없음	17,820,000
원금+수익	425,930,000	488,828,000
세금총액	69,940,000	21,480,000
최종잔고	355,990,000	466,800,000
차액	110,081,000	

기욱 : 맞습니다. 금액 차이가 더 커졌죠?

유정 : 와~ 진짜 1억이 넘게 차이나네요.

슬기 : 정말, 꼭 활용해야겠어요!

기욱 : 다만 혜택이 아무리 좋아도, 유지하지 못하면 의미 없어요.

꼭 만55세 이후에 연금으로 받을 수 있도록,

장기투자를 계획하고 유지할 수 있을만큼만 투자해야 해요.

유정 : 네~ 진짜 노후준비용으로만 투자하기!

성준 : 선생님, 저는 연금저축을 보험사에서 하고 있는데요

이것도 S&P500 같은 인덱스에 투자할 수 있을까요?

기욱 : 안타깝지만.. 보험사 상품은 투자할 수가 없습니다.

연금저축은 은행, 보험사, 증권사 이렇게 3곳에서 가입할 수 있는데,

투자가 가능한 곳은 증권사 뿐입니다. 보험사 연금저축 상품은 투자

를 할 수 없고, 시중 금리와 연동되는 저축형상품 뿐입니다.

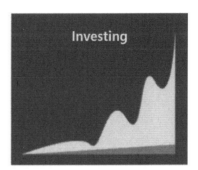

(출처 : 트위터 @BrianFeroldi)

기욱 : 이 그림 기억나시죠? Saving 과 Investing 의 차이.

유정 : 아~ 네! 기억나요!

1~3년 안에 필요한 돈은 안전하게 저축하고

그 이상 기간동안 쓰지 않을 돈은 적극적으로 투자하기!

기욱 : 오~ 네, 맞습니다. 기억하시네요.

특히 연금저축은 만 55세까지, 수십년간 돈이 묶여 있잖아요?

투자기간이 길기 때문에 꼭 적극적으로 투자해야 해요!

2023년 1월 기준으로 각 보험사의 연금저축 금리가 2%중반이니

3%로 계산해도, 저축과 투자는 차이가 많이 벌어집니다.

<월 30만원씩 30년 저축 vs 투자>

구 분	연 3% 저축	연 8% 투자
투자원금	108,000,000	
최종금액	176,409,641	440,445,125
차액	264,035,484 원	

유정 : 와~ 차이가 정말 크네요? 2억6천만원?

기욱 : 네, 게다가 보험사 상품은 사업비와 설계사 수수료를 너무 많이 뗀다고 앞 서 설명 드렸잖아요? 실제로는 이것보다 최종금액이 적을꺼에요. 결과적으로 보험사 상품은 추천드리지 않습니다.

성준 : 그럼.. 보험사 연금저축은 어떻게 해야 하나요?

기욱 : 다행히 보험사 연금저축에 있는 돈을 증권사 연금저축 계좌로 옮겨서 투자할 수 있는 이전제도가 있어요.
다만 이전할 때, 보험사에서 자기들 상품을 해지했다고 판단하여 해지수수료를 또 떼거든요.. 이건 감안해야 해요.

성준 : 앗.. 그렇군요..

기욱 : 그래도 가입한지 조금 되었다면, 해지수수료가 그렇게 부담스러운 정도는 아닐꺼에요. 게다가 수수료가 있다해도 조금 손해보고 빨리 증권사로 옮겨서 투자를 시작하는게 기회비용 측면에서 더 나을 수도 있어요.
만약 수수료가 너무 아깝다는 생각이 들면, 수수료가 없어지는 시점까지 연금저축 계약을 유지하다가, 나중에 수수료 패널티가 없어진 후 증권사 계좌로 이전해서 투자해도 됩니다.

성준 : 네, 이전했을 때 수수료도 확인해보겠습니다.

기욱 : 참고로 보험사에는 세액공제 혜택이 있는 연금저축 이외에 비과세 연금이나 변액연금 등의 상품도 있어요.
이런 상품들은 증권사로 이전이 안됩니다. 꼭 주의해주세요.

슬기 : 선생님, 변액연금도 추천을 많이 받았는데 어떨까요?

기욱 : 앞서 말씀드렸지만.. 보험사 상품으로 투자를 한다는게
초기사업비와 수수료가 너무 비싸기 때문에.. 추천드리진 않습니다.
뗄거 다 떼고, 실제로 내 계좌에 쌓이는 돈이 너무 적어요.

게다가 변액연금보다 연금저축, IRP계좌의 세금혜택이 훨씬 더 크기
때문에 이쪽으로 먼저 투자하는게 맞습니다.
물론 나중에 더 여력이 되서, 추가적으로 노후준비를 하고 싶은 분이
라면 변액연금을 생각해볼 수도 있겠지만..

연금저축, IRP계좌를 통해서 세액공제 혜택을 받을 수 있는 최대금액
이 연 900만원, 매월 75만원이라.. 노후준비를 위해서 매월 75만원
이상을 투자할 수 있는 사람이 많진 않겠죠?
현실적으로 일반적인 청년분들께는 맞지 않는 상품 같아요.

슬기 : 그렇군요. 그럼 연금저축이랑 IRP 계좌는 뭐가 다른걸까요?

기욱 : 네, 둘의 세금혜택은 똑같지만, 사실 IRP는 연금저축과 달리
퇴직연금의 일부라고 볼 수 있어요.
혹시 여기서 퇴직연금 하고 계신분 계실까요?

현수 : 아마 회사에서 하고 있는것 같아요.

슬기 : 저도 퇴직연금 하고 있어요.
안그래도 퇴직연금 관련해서도 여쭤보려고 했어요.

유정 : 퇴직연금? 그건 뭔가요?

기욱 : 퇴직연금은 직원들에게 줘야할 퇴직금을, 회사가 가지고 있는 게 아니라, 금융회사에 안전하게 맡겨서 여러 자산에 투자하고 운용할 수 있게 만든 제도에요.

유정 : 아? 좋은거군요. 저희 회사는 하고있는지 잘 모르겠네요.

기욱 : 퇴직연금 제도가 없는 회사라고 해도, 나중에 회사를 그만둘 때 퇴직금을 받는건 똑같아요. 퇴직연금이든, 일반 퇴직금이든 보통은 퇴직금을 받으면.. 그냥 다 써버리죠..?

성준 : ㅎㅎ 그렇죠. 저도 퇴직금 받은게 다 어디로 갔는지..

기욱 : 그래서 퇴직금을 그냥 쓰지 말고, 따로 모아 놨다가,
이걸 노후를 위해서 장기투자하면 정부에서 여러가지 세금혜택을 주고 있어요. 이 때, 세금혜택을 받기 위해서 퇴직금을 모아놓을 수 있는 주머니가 바로 IRP 계좌입니다.
그리고 이 IRP 계좌에 꼭 퇴직금 이외에도 내가 개인적으로 계좌를 만들거나, 돈을 넣을수도 있거든요?
흔히 IRP 추가납입이라고 하는데요.
이 IRP 추가납입과 연금저축의 세금혜택이 같은거에요.

그래도 IRP 추가납입 보다는 연금저축계좌로 투자하는게 조금 더 유리합니다. 일단 IRP 계좌는 주식과 같은 위험자산에 70% 이상은 투자하지 못하게 되어있어요. 예를 들어 S&P500 인덱스와 같은 주식자산에 100% 투자할 수 없는거에요.

유정 : 아? 정말요?

기욱 : 네, IRP계좌의 30%는 채권이나 현금같이 안전한 자산에 묶어
놔야해요. 물론 이게 꼭 나쁘다고만은 할 수 없지만..
내 돈인데.. 투자하는데 제약이 있다보니 좀 불편한 점이 있죠.
슬기 : 그러게요. 제 돈인데.. 마음대로 투자를 못하다니..

기욱 : 그리고 노후를 위한 투자긴 하지만
중간에 정말 급한 일이 생겨, 돈을 빼야할 때가 있을 수 있잖아요?
이 경우도 연금저축에 비해 IRP계좌가 제약이 많아요.
회생, 파산, 천재지변, 주택구입 등 특수한 경우만 가능하거든요.
유정 : 아, IRP는 하면 안되겠어요. 무조건 연금저축이 좋은거군요?

기욱 : 그래서 대부분은 연금저축을 우선적으로 가입하세요.
다만 세액공제 혜택이 연금저축은 1년에 600만원까지만 되요.
총 받을 수 있는 세액공제 혜택은 1년에 900만원이잖아요?
그래서 세액공제 혜택을 더 받고 싶은 분들은
나머지 300만원을 IRP계좌 추가납입으로 하는거에요.

슬기 : 아.. 나눠서 하라는 의미가 그거였군요?
기욱 : 네, 하지만 연금저축 세액공제 한도 연 600만원도 매월로 하
면 50만원인데요. 2030세대분들이 매월 50만원씩 노후를 위해 투자
하기도 사실 쉽지는 않겠죠? 결론적으로 노후준비 목적이라면
IRP계좌보다는 연금저축계좌로 투자하는게 좋습니다.
유정 : 네! 노후준비는 연금저축 계좌로 하기!

기욱 : 아까 IRP계좌 설명드릴때 잠깐 얘기 했었는데
지금 현수님과 슬기님은 회사에서 퇴직연금 하고 계시잖아요?
혹시 퇴직연금 종류가 DB인지 DC인지 알고 계실까요?
현수 : …. 그게 뭔가요??
슬기 : 아.. 저도 들긴했는데.. 그게 많이 헷갈리더라고요.

기욱 : 각자 퇴직연금을 확인해보면 좋을 것 같아요.
만약 DB형이라면 퇴직연금에 대해서 신경 안써도 되는데
DC형이라면 적극적으로 수익률과 운용에 신경 써야해요.
DC형은 수익률에 따라 퇴직금의 규모가 달라지기 때문이에요.
현수 : 아? 정말요?

기욱 : 네, 다들 DB형인줄 알고 신경안쓰고 있다가, 나중에 알고보니
DC형인 경우가 굉장히 많아요. 우리나라 퇴직연금은 원리금이 보장
되는 은행예금형이 대부분이라, 신경쓰지 않고 방치하면 장기수익률
이 거의 연 1~2% 사이입니다.
슬기 : 와.. 1%대.. 이럴 수가 있나요..?

기욱 : 안타까운 일이죠. 사람들의 무관심과
은행, 보험사 등 금융사들의 탐욕 때문이라고 할까요?
1) 그러니 꼭 내 퇴직연금이 DB형인지? DC형인지? 확인하고
2) 만약 DC형이라면 어떤 금융회사에서 어떻게 운용되고 있는지?
적극적으로 관심을 갖고 관리해야 해요.

슬기 : 퇴직연금도 S&P500 같은 인덱스에 투자할 수 있는거죠?

기욱 : 그건 퇴직연금을 관리하는 회사에 따라 달라요.

몇 몇 금융사를 제외한 대부분의 회사에서는 가능할꺼에요.

예를 들어 한번 계산해볼께요.

30살 직장인이 퇴직연금 DC형으로 가입중이에요.

연봉은 3천만원, 급여상승률은 매년 3%, 30년근속 기준.

귀찮다는 이유로 수익률 2%로 퇴직연금을 방치했을 때와

적극적으로 투자해서 연 8% 수익을 냈을 때의 퇴직금 차이에요.

구 분	연 2% 수익	연 8% 수익
퇴직금	157,054,726	412,311,299
차액	255,256,573 원	

슬기 : 와.. 2억5천만원..

기욱 : 물론 30년 근속하는 경우가 흔치는 않죠?

그래도 그냥 방치했냐, 조금이라도 관심을 가졌냐에 따라서

퇴직금의 액수가 달라진다는건 분명한 사실이에요.

현수 : 만약 DB형이면 신경 안써도 되는거죠?

기욱 : 네, DB형은 급여가 오르는만큼 퇴직금도 같이 커지는 구조기

때문에 신경 안써도 되요. 일반 퇴직금 제도도 마찬가지에요.

다만 급여를 올리기 위해서 열심히 일 하시는건 중요하겠죠?

슬기 : 저희는 DB형, DC형 둘 다 선택할 수 있는것 같은데

만약 고를 수 있다면 어느게 더 유리할까요?

기욱 : 소득이 오르는 것보다 투자수익을 더 많이 낼 자신이 있으면 DC형, 자신이 없으면 DB형이 맞겠죠? ㅎㅎ
하지만 여기 계신분들은 나이가 어리고, 급여가 오르는 속도가 높기 때문에, 왠만하면 DB형을 권해드려요. 사실 DC형으로 퇴직연금을 따로 운용하고, 관리하기도 좀 번거롭거든요.

그러다 나중에 나이가 들고, 퇴직계좌에 쌓인 돈도 커지고
소득상승률도 약해지면.. 그땐 직접 투자하는 DC형이 유리하겠죠?
유정 : 앗? 첫 시간에 쌤이 이야기했던거랑 비슷하네요?
20~30대는 투자보다는 본업에 집중해서, 일단 시드머니를 빨리 모으는 게 중요하고.. 40~50대 이후 자산의 규모가 커지면 그 때부터 투자가 중요해진다고 하셨잖아요?

기욱 : 와~ 역시 대단하십니다~
하나를 가르치면 열을 안다는게 이런걸까요? ㅎㅎ
맞습니다. 퇴직연금도 같은 개념으로 이해하시면 될 것 같아요.
슬기 : 유정님 ㅎㅎ 갈수록 예리해지는걸요?
유정 : 헤헤

< 3줄요약>
1. 투자할때 세금도 반드시 고려해야 한다
2. 3~5년 중장기투자는 ISA, 노후자금 준비는 연금저축
3. 퇴직연금이 DC형이라면 수익률 관리에 신경써야 한다!

제13장 : 자산배분과 매도의 기술

슬기 : 하나 질문이 있는데요?

인덱스에 적립식으로 장기투자하면 된다는건 알겠는데,

그럼 나중에 팔 때는 언제 팔아야 할까요?

현수 : 오, 저도 이거 궁금했어요.

성준 : 그러게요. 주식을 잘 팔 수 있는 방법이 따로 있을까요?

기욱 : 다들 주가의 고점에서 주식을 잘 팔고 싶겠지만.. 안타깝게도 그런 방법은 따로 없습니다. 그 타이밍은 누구도 알 수 없어요. 워런 버핏 조차도 모릅니다. 그래도 투자한 자산을 팔 때, 유용한 몇 가지 방법이 있어요. 제가 오늘 3가지를 알려드릴게요.

유정 : 네~ 좋아요!

기욱 : 첫 번째 방법은 처음 계획한 대로, 그 시점이 됐을 때 파는거에요. 예를 들어 '4년뒤에 유럽 배낭여행을 위해서 1,000만원을 모아야지!' 라는 계획으로 매월 20만원씩 투자했다면 4년후가 되는 시점에 계획대로 투자했던 자산을 다 팔고 그 돈으로 여행을 떠나는거에요. 심플하죠?

유정 : 유럽여행~ 상상만해도 행복하네요~

성준 : 타이밍과 상관없이 처음 계획한대로 파는거군요?

슬기 : 수익률이 좋을 수도 있고 나쁠 수도 있겠네요?

기욱 : 역시 슬기님, 예리하십니다.

첫 번째 방법은 심플하긴 하지만.. 함정이 있죠..

물론 4년 정도 인덱스에 꾸준히 투자했다면, 투자에 성공할 확률이 높긴 하지만.. 투자에 100%는 없잖아요?

하필이면 딱 4년이 되는 시점에 금융위기나 전쟁, 금리인상 등 예측할 수 없는 위기가 와서 모든 자산 가격이 폭락할 수 있거든요. 2008년 금융위기 때처럼 시장이 -50% 폭락해버리면.. 목표했던 1,000만원이 500만으로 쪼그라들면서 행복한 유럽여행의 꿈은 물거품이 되겠죠..

유정 : 앗.. 그럼 어떻게 해야 하나요.. 그런 일이 생기지 않도록.. 운에 맡겨야 하나요??

기욱 : 팔 때 한 번에 다 파는게 아니고 조금씩 분할해서 파는 방법도 있어요. 1,000만원의 주식을 팔 때, 200만원씩 5개월 걸쳐 나눠서 파는거죠. 매월 분할해서 자산을 사는 적립식투자처럼, 팔 때도 적립식으로 분할해서 파는거에요.

슬기 : 오, 그것도 좋은 방법이네요.

기욱 : 하지만 이것도 금융위기 같은 충격이 오면, 5~6개월 안에 시장이 회복되기 힘들 수도 있으니.. 근본적인 해결방법은 아니에요. 그래서 두 번째 방법을 알려드릴게요.

두 번째는 목표수익률을 정해놓고, 거기에 도달하면
팔아서 수익을 보존하는거에요.

슬기 : 목표수익률요?

기욱 : 예를 들면 목표수익률을 연 8% 라고 해볼게요.
유럽여행을 위해 매월 20만원씩 S&P500에 투자했는데, 3년간 투자
했더니 25% 정도 수익이 난거에요. 원금이 720만원인데 수익금까지
해서 900만원이 된거죠.
이 때 3년간 25% 누적수익률을 연수익률로 대략 계산해보면
누적수익률 25% 나누기 3년 = 대략 8% 정도 나오죠?
목표수익률이 연 8%였으니 목표를 달성한거잖아요?

그럼 그 때 900만원을 다 팔아서 현금화 시키고,
그 돈을 안전한 은행 예금에 맡겨 놓는거에요.
그리고 남은 1년간 매월 20만원의 적립식투자는 계속하는거죠.

슬기 : 아?

기욱 : 그럼 1년후 금융위기가 와서 자산가격이 반토막 난다고 해도
900만원은 안전한 은행 예금에 있으니? 손해볼게 없죠?
물론 마지막 1년간 투자한 돈 240만원은 반토막 나겠지만
그래도 은행에 있는 900만원과 합치면 천만원이 넘으니까 ㅎㅎ
즐거운 마음으로 유럽여행을 떠날 수 있겠죠?

유정 : 오? 진짜 그렇네요. 너무 좋은 방법이네요!

슬기 : 목표수익률을 정해놓고, 도달하면 현금화시킨다.
목표수익률은 연 8% 정도 잡으면 될까요?

기욱 : 사실 딱히 정답은 없어요.

S&P500 인덱스가 거의 수 십년의 역사를 봐도, 평균 투자수익률이 연 10% 정도였지만 이건 과거수익률이기 때문에.. 미래에도 이렇게 될꺼란 보장은 없어요.

그렇기에 과거 연 10% 보다는 조금 더 보수적으로 잡는게 좋을것 같아요. 물론 이건 개인의 성향에 따라 다르기 때문에 꼭 정답은 없습니다. 예전에 슬기님 목표수익률이 연 30~40% 라고 하셨던 기억이 나는데요.

슬기 : 앗.. 네네.. 예전에 그랬었어요..

Rank	Symbol	Name	Industry	30-Yr Total Return
1	MNST	Monster Beverage Corp	Beverages - Non-Alcoholic	260061%
2	AMZN*	Amazon.com Inc	Internet Retail	199332%
3	POOL*	Pool Corp	Leisure	69752%
4	NVDA*	NVIDIA Corp	Semiconductors	67231%
5	CERN	Cerner Corp	Health Information Services	58697%
6	NVR	NVR Inc	Residential Construction	52515%
7	JCI	Johnson Controls International	Engineering & Construction	50728%
8	MO	Altria Group Inc	Tobacco	46463%
9	NFLX*	Netflix Inc	Entertainment	39581%
10	AAPL	Apple Inc	Consumer Electronics	36830%

<출처 : YCHarts>

기욱 : 이 표는 1992년 2월~2022년 1월까지 30년간 미국 주식시장에서 가장 높은 수익률을 올렸던 기업들 순위에요.

1위는 몬스터베버리지 260061%, 2위는 아마존 199332%

유정 : 와.. 엄청나네요..

기욱 : 수익률 260061% 라는 것은 2,600배가 되었다는 뜻이에요 투자원금이 1억이었다면 30년후 2,600억이 되었다는 거죠.

현수 : 2,600억.. 와..

기욱 : 이렇게만 보면 정말 엄청난 수익률 같지만 ㅎㅎ
이걸 연평균수익률로 환산해서 보면 어떨까요?

Name	Industry	30-Yr Total Return	Annualized Retu
Monster Beverage Corp	Beverages - Non-Alcoholic	260061%	34.6%
Amazon.com Inc	Internet Retail	199332%	35.9%
Pool Corp	Leisure	69752%	28.2%
NVIDIA Corp	Semiconductors	67231%	32.6%
Cerner Corp	Health Information Services	58697%	23.7%
NVR Inc	Residential Construction	52515%	23.2%
Johnson Controls International	Engineering & Construction	50728%	23.1%
Altria Group Inc	Tobacco	46463%	22.7%
Netflix Inc	Entertainment	39581%	35.4%
Apple Inc	Consumer Electronics	36830%	21.8%

<출처 : YCHarts>

기욱 : 보다시피 연평균수익률로 보면 가장 수익률이 높았던 기업도
고작 연 34% 수익률인걸 알 수 있죠?
몬스터베버리지, 아마존, 엔비디아, 넷플릭스 단 4기업을 제외하고는
연 수익률 30%를 넘는 기업이 하나도 없잖아요?

유정 : 앗, 정말 그렇네요?

기욱 : 30년 전으로 타임머신을 타고 돌아가서 ㅎㅎ
가장 수익률이 높은 기업에 투자한다해도 연 30%대 수익률이에요.
워런 버핏 같은 투자의 현인도 연 20%대 수익률이고요.
S&P500 인덱스의 장기수익률이 연 10% 정도인데, 펀드매니저 대부
분이 S&P500의 성과를 이길 수 없었으니, 결국 꾸준히 연 10% 수
익을 올리는 것조차도 정말 쉽지 않다는 이야기에요.

슬기 : 제가 너무 허황된 목표를 가지고 있었네요..

기욱 : 연 30~40% 목표수익률은 좀 과하긴 했어요..

하지만 위의 예시는 반대로 생각하면 연 10% 수익이라도

꾸준히 장기투자하면 큰 성과를 낼 수 있다는 의미겠죠?

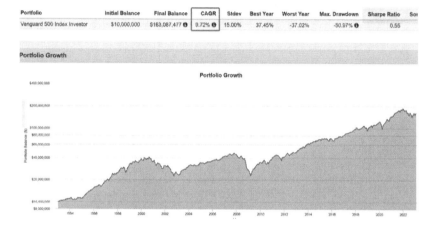

기욱 : 연 수익률 10%도 되지 않았지만,

천만원이 1억6천이 되었으니 성과가 어마무시하잖아요?

이처럼 투자에선 '수익률'보다 '시간'이 더 중요합니다.

목표수익률은 7~10% 사이에서 각자 정하면 될 것 같아요.

슬기 : 네! 명심할께요!

유정 : 시간이 더 중요하다. 목표수익률 7~10% 사이. 메모메모.

기욱 : 첫 번째 방법은 계획한 시점이 오면 그냥 파는 것

두 번째 방법은 목표수익률을 정해놓고 도달하면 파는 것

마지막 세 번째 방법도 알려 드릴께요.

세 번째 방법이 제일 유용한데요, 자산을 리밸런싱 하는거에요.

유정 : 리밸런싱이요?

기욱 : 네, 말 그대로 밸런스를 다시 조절하는거에요.

저축	50만원	은행 적금
투자	35만원	ISA 투자
	15만원	연금저축 투자

기욱 : 앞서 재무계획에 맞게 저축과 투자비중을 나눴던거 기억하시
죠? 이 때 저축과 투자를 구분했던건 매월 저축액이었지만,

이렇게 매월 저축하는 돈이 시간이 지나 자산으로 쌓이게 되면,

자산도 저축과 투자로 구분해서 비중을 나눠보는거에요.

슬기 : 아? 쌓인 돈을요?

기욱 : 네, 예를 들어 매월 100만원씩 돈을 모을 수 있는 직장인이
은행에 적금으로 50만원, 펀드투자에 50만원씩 하고 있다고 가정해
볼게요. 저축과 투자의 비중이 현재는 5대 5인거죠?

유정 : 네. 반반씩.

기욱 : 그렇게 시간이 지나면 쌓인 돈이 계속 커지겠죠?

4~5년뒤 은행의 예,적금에 쌓인 돈은 3천만원이 되었고

펀드는 시장의 충격으로 수익이 급감하면서 2천만원이 되었다고 가
정해볼께요. 그럼 처음에는 저축과 투자의 비중이 5대 5였는데..

지금은 펀드의 투자손실이 발생하면서 비중이 달라졌죠?

구 분	예,적금	펀드
누적금액	3,000만	2,000만
비 중	60%	40%

현수 : 정말 그렇네요. 원래는 반반씩이었는데..

기욱 : 리밸런싱은 이렇게 어긋난 비중을

다시 원래 계획했던 5대 5 비중으로 맞추는거에요.

즉 예,적금에 있는 돈 500만원을 빼서 펀드에 투자하면 되겠죠?

구 분	예,적금	펀드
누적금액	3,000만	2,000만
리밸런싱	-500만	+500만
최종잔액	2,500만	2,500만

슬기 : 아~ 일부만 투자하는거군요?

기욱 : 맞습니다. 원래 계획했던 비중보다 오버되는 부분만 빼서 투자하는거에요. 이렇게 자산별 비중을 다시 원래 계획했던 비중으로 맞추는것을 리밸런싱이라 합니다.

시간이 좀 지나서, 이번엔 비중이 반대가 되었다고 가정해볼게요.

시장이 좋아지면서 오히려 펀드수익이 굉장히 높아진거죠.

예,적금은 3,000만원, 펀드는 4,000만원이 된거에요.

유정 : 이번엔 펀드비중이 더 커졌네요?

기욱 : 네, 맞습니다. 이 때는 반대로 펀드에 있는 돈을 일부 빼서 예,적금쪽으로 넣는거에요. 그럼 비중이 5대 5로 돌아오겠죠?

구 분	예,적금	펀드
현재금액	3,000만	4,000만
리밸런싱	+500만	-500만
최종잔액	3,500만	3,500만

기욱 : 이런식으로 자산을 리밸런싱하면 좋은 점이, 자연스럽게 주가가 저평가 되었을 때는 주식을 더 사게 되고 시장이 과열되고 주가가 고평가 되었을 때는 주식의 일부를 팔게 되면서 장기적으로 수익도 지킬 수 있고, 변동성도 줄일 수 있는거에요.

슬기 : 아~ 정말 그렇네요.

계획한 비중에 맞게끔 주기적으로 자산을 리밸런싱한다.

저에게도 너무 유용한 방법 같아요.

<투자자산을 잘 팔 수 있는 TIP>

1. 계획한 시점에 조금씩 분할해서 판다

2. 목표수익률을 정해놓고 도달하면 판다

3. 리밸런싱을 통해서 주기적으로 사고 판다

기욱 : 결국 이 3가지 방법의 공통점은 변동성을 줄여준다는거에요.

하지만 이런 방법들이 꼭 장점만 있는건 아닌데요.

1. 만약 분할해서 조금씩 팔고 있는데 주가가 계속 오르면?

2. 목표수익률에 도달해서 팔았는데, 그 후에 주가가 더 오르면?

3. 리밸런싱 때문에 주식비중을 줄였는데, 그 후에 주가가 폭등하면?

유정 : 아.. 그것도 그렇네요..

현수 : 와.. 생각도 못했는데..

슬기 : 아, 마음이 너무 쓰릴것 같아요..

성준 : 맞습니다. 제가 팔면 꼭 그 후에 오르더라고요..

기욱 : 앞서 거치식과 적립식투자에서도 이야기 했지만
과거 역사를 봤을때, 가장 확률적으로 수익성이 높은 투자방법은
목표수익률이나 리밸런싱 다 필요없이 그냥 목돈을 주식에 100% 넣
고 장기투자하는거에요.
중간에 자꾸 현금으로 팔거나, 리밸런싱 하면 결국 더 큰 수익을 얻
을 기회를 놓칠수 있어요. 변동성을 줄인다는건 결국 수익성을 포기
한다는것과 같은 말이거든요. 세상에 공짜는 없다. 기억하시죠?

유정 : 네~ 진짜 세상에 공짜는 없네요.

기욱 : 수익성만 생각하면 리밸런싱 없이 주식에 100% 투자하는게
맞겠지만, 우리는 확률이나 숫자로만 움직이는 로봇이 아니잖아요?
감정에 따라 판단이 흔들리는 인간이기 때문에 어느정도의 리밸런싱
은 필요하다고 봅니다.
물론 유정님처럼 이제 막 저축과 투자를 시작하는 분이라면, 어차피
쌓여있는 자산이 적기 때문에, 군이 리밸런싱 할 필요가 없어요.
하지만 투자한지 3~4년이 지나면, 쌓여있는 돈이 커지면서
자연스럽게 적립식 투자 효과가 사라지고, 변동성이 커지기 때문에
리밸런싱이 필요해지는거에요.

유정 : 적립식투자의 효과가 사라지다뇨?

기욱 : 음, 예를 들어서 매월 30만원씩 투자하는거에요.

이게 2~3년 까지는 적립식 투자의 효과가 있어요.

주가가 내려간다해도 매월 꾸준히 싼 사격으로 계속 사게 되니까

장기적으로 내가 산 매입가격도 같이 내려가거든요.

하지만 4년이 지나면 어떻게 될까요?

이미 쌓여있는 돈이 거의 1,500만원 가까이 되요.

쌓여있는 돈이 너무 크다보니, 매월 30만원씩 계속 투자하더라도

이게 '계란으로 바위치기' 처럼 적립식 효과가 떨어지는거에요.

유정 : 아.. 쌓인 돈이 커지니까..

슬기 : 말하자면 적립식투자에서 거치식투자로 바뀌는거군요?

기욱 : 네, 맞습니다. 정확하세요. 역시 슬기님.

그러니 적립식투자의 효과가 떨어지고 거치식투자로 바뀌는 시점부

터 자신의 재무계획이나 성향에 맞게 자산을 리밸런싱 하면 됩니다.

그걸 흔히 우리는 '자산배분' 이라고 하죠.

성준 : 아, 저도 요즘 자산배분에 고민이 많습니다.

기욱 : 자산배분도 기본적인 개념은 매월 저축액을 적금과 투자로 나

누는 것과 같아요. 각자의 재무계획과 성향에 맞게 배분하면 되요.

성준님은 곧 결혼을 앞두고 계시잖아요?

집이나 혼수, 가전, 신혼여행 등 결혼비용을 대략 계산해서

어느정도의 현금성자산을 확보하는게 좋아요.

성준 : 네, 아무래도 집도 구해야하니.. 그게 맞는 것 같습니다.

기욱 : 반면에 아직 독립이나 결혼계획이 없고, 향후 4~5년간 특별히 목돈 나갈 일도 없는 분이라면 현금성자산 보다는 투자자산 비중을 높여서 좀 더 공격적으로 자산배분을 해도 되겠죠?

유정 : 현금성자산? 투자자산?

이게 은행 예,적금이랑 주식을 말하시는걸까요?

기욱 : 네, 맞습니다. 차근차근 설명드릴께요.

Saving 은행의 예,적금과 Investing 주식투자 이렇게 2가지로만 구분해서 설명드렸는데요. 원래 전통적인 자산배분은 크게 현금성자산, 투자자산, 부동산자산 3가지로 나눌 수 있어요.

기욱 : 첫 번째는 현금성자산.

은행의 입출금통장, 파킹통장은 물론 예금, 적금도 여기에 해당됩니다. 증권사의 CMA도 파킹통장과 비슷한 개념으로 현금성자산입니다. 말 그대로 언제든 현금화 시킬 수 있는 자산을 말해요.

유정 : 예금, 적금은 만기전에 찾기가 힘들지 않나요?

기욱 : 물론 만기전에 돈을 찾으면 이자에 패널티가 있긴 하지만 원금손실이 나는건 아니잖아요? 그래서 예금, 적금도 현금성 자산에 포함하는 거에요.

유정 : 아~ 원금손실 없이 언제든 찾을 수 있는 자산이군요.

기욱 : 네, 맞습니다. 두 번째는 투자자산인데요.

애플, 삼성전자 같은 주식과 펀드, ETF 모두를 포함합니다.

S&P500, 나스닥100 같은 인덱스펀드나 ETF도 해당되겠죠?

유정 : 투자자산은 주식이군요!

기욱 : 물론 투자자산에는 채권이나 부동산리츠 등 정말 다양한 자산이 있지만 일단은 그렇게만 이해하셔도 될 것 같습니다. 투자자산은 현금성자산과는 달리 언제든지 현금화하기는 힘든 자산이에요.

슬기 : 맞아요, 손실을 보고 빼야 할 수도 있으니까요.

기욱 : 하지만 장기투자했을때, 은행 예,적금 같은 현금성자산 대비 기대수익률이 높기 때문에 어찌보면 내 자산을 불릴 수 있는 가능성이 가장 큰 자산이기도 해요.

마지막 세 번재는 부동산자산이에요.

물론 아직은 부동산자산을 갖기에 조금 이르기 때문에, 일단 전,월세 보증금을 여기에 넣어도 될 것 같아요.

전,월세 보증금은 엄밀히 말하면 부동산 자산이 아니지만 이자를 받거나, 다른곳에 투자할 수도 없고, 그냥 묶여있는 돈이잖아요?

내 자산에서 주거로 인해 묶여있는 돈이 어느정도인지?

비중을 파악하는 것은 의미가 있어요.

<자산의 종류 3가지>

현금성자산 : 입출금통장, 예금, 적금, CMA 등

투자자산 : 주식, 펀드, ETF 등

부동산자산 : 주택, 상가, 보증금 등

기욱 : 제가 예를 들어볼께요. 직장생활 4~5년 한 사람이 은행 예,적금과 투자를 잘 병행하면서 이렇게 자산을 모은거에요.

입출금통장	300만	ISA 펀드A	1,200만
예금	1,200만	ISA 펀드B	1,200만
적금	500만	연금저축펀드	800만
청약저축	300만	집 보증금	3,000만

기욱 : 여기서 자산배분을 하기 위해서 보기 편하게
현금성자산, 투자자산, 부동산자산으로 구분해서 나눠볼게요.

	입출금통장	300만
현금성 자산	예금	1,200만
	적금	500만
	청약저축	300만
투자 자산	ISA 펀드A	1,200만
	ISA 펀드B	1,200만
	연금저축펀드	800만
부동산	집 보증금	3,000만

기욱 : 1) 입출금통장, 예,적금, 청약저축 모두 언제든 원금손실 없이 찾을 수 있는 현금성자산이죠? 2) ISA, 연금저축계좌로 투자하고 있는 펀드는 모두 투자자산, 3) 주거로 묶여있는 전세보증금은 부동산자산으로 구분하면 되겠죠?

만약 전세대출을 받았다면 대출을 제외한 순수한 투입금액으로 계산하면 되요. ex) 보증금 1억3천만원에서 1억 전세대출을 받았다면 순수한 보증금은 3천만원.

전체자산	8,500만	비중
현금성자산	2,300만	27%
투자자산	3,200만	38%
부동산자산	3,000만	35%

성준 : 아, 이런식으로~ 한 눈에 보기 편하네요.

기욱 : 네, 이렇게 현금성자산, 투자자산, 부동산자산을 구분하면
내 자산이 너무 한쪽으로만 편중되어 있지 않은지?
내 재무계획과 성향에 맞게끔 올바르게 분산되어 있는지?
어떤 부분을 리밸런싱해야 하는지 파악하기 쉽겠죠?

슬기 : 오~ 정말 그렇네요.

기욱 : 다만 리밸런싱을 너무 자주 하면 오히려 역효과가 날 수 있어요. 충분히 더 오를 수 있는 자산인데, 리밸런싱 한답시고
너무 일찍 팔게되면, 제대로 수익을 내기 힘들겠죠?

현수 : 앗.. 그것도 그렇네요?

기욱 : 리밸런싱 주기에 대한 정답은 없겠지만
보통 1년에 1번 정도가 적당하다는 이야기가 많습니다.

유정 : 네~ 1년에 한 번, 리밸런싱 메모메모.

기욱 : 여러분들도 각자 자산을 한번 정리해보세요.

꼭 리밸런싱이 때문이 아니라도 내 자산내역을 업데이트하다보면
실제로 내가 계획한대로 저축과 투자를 잘 했는지?
자산이 얼마나 늘어났는지? 파악이 되겠죠?
유정 : 아? 그렇네요. 중간점검 같은거군요.
기욱 : 중간점검. ㅎㅎ 네, 맞습니다. 비슷해요.
중간점검도 하면서 동시에 투자자산의 성과에 따라서
너무 한쪽으로 치우치지 않았는지? 리밸런싱도 같이 하는거에요.

저도 이런식으로 제 자산을 업데이트하고 리밸런싱 하고 있어요.
계속 기록하다보면 3년전, 5년전 대비 내 자산이 얼마나 성장했는지?
알 수 있잖아요? 이걸 보는게 은근히 재밌어요.
돈 모으는 재미? 성장하는 기쁨이라고 해야할까요?
여러분도 꼭 경험해보면 좋을 것 같아요.

유정 : 오, 정말 그럴꺼같아요. 저도 해봐야겠어요.
물론 아직은 자산이랄게 없지만..
일동 : (웃음)
슬기 : 혹시 이상적인 자산별 비중이 있을까요?
기욱 : 이것 역시 정답은 없어요.
각자의 재무계획이나 성향에 따라 달라지는거에요.
다만 전 세계적으로 막강한 영향력을 발휘하는 유태인들에게
오래전부터 내려오는 자산배분에 관한 조언이 있긴 해요.
유정 : 오오. 어떤건가요?

기욱 : 유태인의 경전인 탈무드에 기록된 말인데요

"가진 돈의 1/3은 땅, 1/3은 사업, 1/3은 예비로 가지고 있어라."

땅, 사업, 예비자금을 지금 현대의 말로 해석하면

각각 부동산, 주식, 현금성자산 입니다.

유정 : 앗? 자산배분이랑 똑같네요?

기욱 : 네, 맞습니다. 탈무드가 기원전 1,200년전, 지금으로부터

3,000년 전에 기록되었다고하니, 그때부터 이미 부동산, 주식, 현금의

자산배분 개념을 이야기 했다는게 신기하죠?

탈무드에 의하면 부동산자산, 투자자산, 현금성자산을

1대1대1, 각각 동일한 비중으로 나눠서 배분하라는거에요.

그래서 이런 자산배분을 '탈무드 자산배분'이라고도 해요.

전체자산	8,500만	비중
현금성자산	2,300만	27%
투자자산	,3200만	38%
부동산자산	3,000만	35%

기욱 : 아까 예시로 들었던 이 자산배분이 완벽하진 않지만 그래도

비교적 배분이 잘 된 편이라고 할 수 있겠죠?

유정 : 저처럼 독립을 하지 않았다면 부동산자산이 없으니까

현금성자산과 투자자산 비중이 5대 5면 되겠네요?

기욱 : 네, 하지만 유정님은 이제 막 돈을 모으기 시작했기 때문에

어차피 적립식투자니까 조금 더 공격적으로 투자해도 되지 않을까 싶습니다. 물론 유정님의 향후 재무계획에 따라 달리지겠지요.

유정 : 아~ 넵넵! 명심할게요!

저는 30살 이전에 독립이나 결혼계획이 없어요.

그러니까 공격적으로 투자하기. 메모메모.

일동 : (웃음)

성준 : 선생님, 저는 이런 탈무드 자산배분이 힘들 것 같아요.

아직 확실치는 않지만, 결혼하면 신혼집 전세금이 자산의 대부분이 될 것 같거든요. 1/3은 커녕 오히려 대출까지 받아야 하는데..

기욱 : 네, 맞습니다. 사실 우리나라에선 탈무드 자산배분이 쉽지 않아요. 자산에서 부동산비중이 너무 높기 때문인데요.

유정 : 헉.. 역시.. 그런가요..

기욱 : 탈무드 자산배분이 꼭 정답은 아니에요.

부동산, 투자자산, 현금성자산 비중이 꼭 1대1대1일 필요는 없어요.

하지만 부동산에만 자산이 너무 쏠려있는 것도 바람직하지는 않기 때문에 자산의 1/3 수준까진 아니더라도 너무 과하지 않게 조절하는 건 필요해요.

앞서 지출관리 파트에서 임대료, 대출이자, 세금, 관리비, 공과금 등 주거관련 비용이 소득대비 너무 커지지 않도록 주의해야 한다고 말씀드렸죠?

사실 주거관련 비용에는 보증금이나 집을 사는데 투입된 돈이 다른 곳에 투자되지 못하고, 묶여있는 기회비용까지 포함되어 있어요.

유정 : 기회비용이요?

기욱 : 네, 예를 들어 전세보증금에 1억이라는 내 돈이 묶여 있으면 그 1억으로 투자했을 때 얻을 수 있는 수익의 기회도 없는거잖아요? 만약 1억을 전세금에 묶어두지 않고, 투자해서 연 8% 수익을 낸다고 가정하면, 5년후 수익금만 4,900만원이고, 10년으로 보면 1억2천만원 이거든요.

<1억에 대한 투자 기회비용> 수익률 연 8% 기준

구분	투자원금 1억
5년후	48,984,571
10년후	121,964,023
20년후	392,680,277
30년후	993,572,966

유정 : 와.. 진짜 엄청나네요. 30년뒤 거의 10억이네요?

기욱 : 차이가 크죠? 내가 대출 없이 전세에 산다고 해서 주거비용이 전혀 안 드는게 아니에요. 이렇게 미래의 기회비용을 그냥 주거로 깔고 앉아 있는거에요.

슬기 : 아.. 기회비용이 진짜 엄청나군요..

기욱 : 그렇다고 우리 모두 고시원에 살면서 투자할 순 없겠죠? 내 소득이나 자산 대비해서 너무 과하지 않은 합리적인 집을 선택하는게 가장 중요할 것 같습니다.

부자처럼 보이는게 아니라 정말 부자가 되는게 중요하잖아요?

유정 : 네! 맞아요! 진짜 부자가 되어야죠!

기욱 : 그래서 독립을 하거나, 특히 결혼하는 분들은
각종 주거비용이 내 소득대비 어느정도인지?
집을 구하는데 내 자산에서 어느정도의 돈을 투입해야 하는지?
이런 것들은 잘 고민해봐야해요.
성준님은 여자친구분과도 이야기를 많이 해보시고요.

성준 : 와.. 진짜 투자의 기회비용까진 생각해보지 못했는데..
정말 도움이 많이 된 것 같습니다. 하지만 여자친구를 설득할 수 있
을지 모르겠습니다..

기욱 : 너무 무리하게 설득하려고 하진 마세요.
안락한 집에서 가족과 함께 행복하게 사는 것은 돈으로 따질 수 없
는 가치거든요. 너무 무리하게 성준님 의견만 내세우면 갈등이 생길
수 있으니까요, 서로 잘 합의해서 결정하면 될 것 같아요.

지금 당장 자산의 상당부분이 주거에 묶인다해도, 앞으로 또 소득을
올리고 돈을 모아서 투자해도 되니까요.
너무 기회비용만 생각하시는 것도 그리 좋진 않아요.
여러 번 말씀 드리지만 우린 숫자로만 움직이는 기계가 아니라,
따뜻한 감정이 있는 인간이잖아요?
물론 그렇다고 대출을 풀로 받는 영끌은 안됩니다.

성준 : 아 네네. ㅎㅎ 명심하겠습니다.

기욱 : 결국 자산배분의 핵심은 어느 한쪽으로 편중되지 않는거에요.

구분	현금성자산	투자자산	부동산자산
장점	안정성↑	수익성↑	주거수준↑
단점	낮은이율	리스크↑	기회비용

기욱 : 보시다시피 현금성자산은 리스크 없이 안정적이지만
장기적으로면 수익성이 너무 낮잖아요?
반면 투자자산은 기대수익은 높지만, 리스크와 변동성이 크죠.
부동산자산은(실거주 관점에서) 주거의 안정성이나 수준은 높아질
수 있지만, 묶여있는 돈으로 인해 투자의 기회비용이 사라지죠.
유정 : 와, 그렇네요. 각자 장단점이 뚜렷하군요.

기욱 : 정답은 없어요. 자산배분의 원칙은 스스로 잘 결정해야 해요.
중요한건 한번 정한 원칙을 끝까지 유지하는거에요.
원칙이 자꾸 바뀌면 오히려 자산배분을 안하는 것만도 못해요.

전체자산	9,000만	비중
현금성자산	3,000만	33%
투자자산	3,000만	33%
부동산자산	3,000만	33%

기욱 : 잘못된 자산배분의 예를 들어볼께요. 오늘 이야기한 탈무드
자산배분에 맞게끔 처음에는 현금성, 투자자산, 부동산(전세보증금)
비중을 비슷하게 맞춘거에요.

하지만 얼마후 주가가 많이 오르면서, 수익이 천만원 정도 생기자 마음속에 욕심이 생기는거죠.

'역시 주식이 짱이야. 탈무드 자산배분? 다 필요없어.
은행에 있는 현금성자산도 모두 주식에 투자해야지!~'
현금성자산에 있는 돈을 모두 끌어모아 투자자산에 몰빵한거에요.

전체자산	1억원	비중
현금성자산	없음	-
투자자산	7,000만	70%
부동산자산	3,000만	30%

기욱 : 그렇게 자산의 70%를 주식에 몰빵 투자했는데
갑작스러운 시장의 충격으로 주가가 하락하게 된거죠…

전체자산	8,000만	비중
현금성자산	없음	-
투자자산	5,000만	63%
부동산자산	3,000만	37%

기욱 : '어? 주가가 너무 하락했네? 이 가격은 말도 안되. 지금이 완전히 바닥이야! 전세금까지 다 빼서 주식에 풀배팅이다!!'
500만원 월세 보증금만 남기고 전세금을 주식에 추가로 투자했지만 주가의 바닥은 누구도 알 수 없다고 했잖아요?
결국 그 후 주식가격이 더 폭락하게 되면.. 어떻게 될까요..?
유정 : 아.. 생각만해도 끔찍한데요..

전체자산	5,000만	비중
현금성자산	없음	-
투자자산	4,500만	90%
부동산자산	500만	10%

기욱 : 수익이 많이 났을 때 전체자산 1억과 비교하면 이미 자산이
반토막 났잖아요? 여기서부터는 공포가 시작되요.

'아.. 주가가 더 떨어졌네? 내 판단이 틀렸으면 어떡하지?

너무 무서운데.. 앞으로 더 떨어질 것 같은데..

이러다 완전히 망하는거아냐??

안되겠다.. 일단 다 팔고 안전하게 은행에 넣어두자'

결국 투자자산을 다 팔고 다시 은행의 예,적금에 묻어놨어요.

전체자산	5,000만	비중
현금성자산	4,500만	90%
투자자산	없음	-
부동산자산	500만	10%

기욱 : 하지만 시간이 지나고 경기가 회복되면서 주식과 부동산 등
투자자산의 가격이 다시 오르기 시작해요.

'아니야, 저러다 다시 떨어질꺼야.. 분명 폭락할꺼야..

50% 다시 폭락하면 그 때 다시 들어가야지..'

타이밍만 재다가 주가는 계속 오르고, 결국 기회를 놓치게 되죠.

현수 : 아아.. 마치 제 얘기 같습니다..

구분	금액
리밸런싱 전	9,000만
리밸런싱 후	5,000만

기욱 : 리밸런싱을 하기 전에 총 자산이 9천만원이었는데
결과적으로 5천만원만 남았으니 거의 반토막 난거죠?
원칙이 자꾸 바뀌는 바람에 오히려 자산을 까먹은거에요.
차라리 아무것도 하지 않았다면 오히려 1억 넘게 모을수 있었겠죠.

유정 : 너무 슬픈 이야기인데요.
현수 : 남의 일 같지가 않네요..
기욱 : 네, 이처럼 리밸런싱이 무조건 좋은건 아니에요.
이랬다 저랬다 할꺼면 차라리 리밸런싱 안하는게 낫습니다.
자신의 재무계획과 성향에 맞게 명확한 기준과 원칙을 정해야해요.
슬기 : 진짜 자신만의 원칙이 꼭 있어야겠어요.

< 3줄요약 >
1. 어느정도 목돈이 모아진 이후부터는 자산배분이 중요하다.
2. 현금성자산, 투자자산, 부동산자산을 상황에 맞게 잘 배분하자.
3. 자산배분의 원칙, 기준이 수시로 바뀌지 않도록 주의!

기욱 : 참고로 연금저축, IRP, 퇴직연금 계좌는 지금 2030세대 입장
에서는 만 55세까지 정말 장기간 돈을 투자해야 하잖아요?

이런 연금계좌는 리밸런싱을 하기가 조금 애매해요.
수익이 많이 났다고 중간에 돈을 빼서 은행에 넣을 수 없잖아요?

유정 : 엇? 돈을 뺄 수 없나요?

기욱 : 만 55세 전에 계좌에서 돈을 빼면 세금혜택이 없어지니까요.
오히려 세액공제 혜택 받았던 것도 토해내야하죠.

유정 : 아, 맞다. 그랬었죠.

기욱 : 그래서 계좌 안에서 직접 자산배분을 해줘야 해요.
채권형펀드나 채권형ETF 상품을 이용하면 되는데요.
물론 이런 채권형 상품이 은행 예금, 적금처럼 100% 안전하다고 할
수는 없지만, 주식에 비해서는 변동성이 훨씬 낮은편이에요.
그래서 주식과 채권을 섞어서 투자하는 경우가 많은데요

특수한 경우를 제외하면 주식과 채권의 가격이 서로 보완 관계에 있
기 때문이에요. 즉 주식가격이 오르면 채권 수익률은 떨어지고
반대로 주식가격이 떨어지면 채권 수익률이 오르거든요.
같이 분산해서 투자하면 변동성을 줄일 수 있겠죠?

유정 : 현금성자산과 투자자산을 배분하는 것과 같은 이치군요?

기욱 : 네, 맞습니다. 예를 들어볼게요.
연금계좌에서 30년간 월 30만원씩
자산배분, 리밸런싱 없이 주식에 100% 투자했을 때와
주식에 60%, 채권에 40%로 나눠서 투자했을 때를 비교해볼게요.

<1993년1월~2023년1월, 30년간, 월 30만원 투자결과>

Portfolio	Initial Balance	Final Balance	CAGR	TWRR	MWRR	Stdev	Best Year	Worst Year	Max. Drawdown	Sharpe Ratio	Sor
Portfolio 1	$1.00	$541,255,291 ❶	95.12% ❶	9.66%	9.26%	15.39%	35.79%	-37.04%	-50.89% ❶ (-48.12%) ❶	0.53	
Portfolio 2	$1.00	$401,045,107 ❶	93.19% ❶	8.30%	7.68%	9.22%	31.68%	-17.63%	-28.34% ❶ (-24.68%) ❶	0.67	

* The number in parentheses shows the calculated value taking into account the periodic contributions.

Portfolio Growth

Portfolio Growth

1. 미국주식에 100% 투자시 : 541,225,291 원

2. 미국주식 60%, 미국채권(10년물) 40% 투자시 : 401,045,107 원

기욱 : 보다시피 수익률 자체는 주식에 100% 투자가 더 높죠?

하지만 변동성 측면에서는 확실히 채권과의 분산투자가 더 안정적인
걸 알 수 있어요.

최대 하락폭이 주식에 100% 투자시 -48%, 반토막 났는데

채권 40% 분산투자의 경우는 -24%, 훨씬 안정적이죠.

슬기 : 변동성이 무섭긴하지만..

결국 존버하면 주식에 100% 투자가 더 유리하네요?

기욱 : 그렇죠. 하지만 투자금액이 작을 때는 모르겠지만

나중에 투자금액이 커지면 변동성을 버티기가 쉽지 않아요.

그래서 보통 나이에 따라서 주식과 채권의 비중을 바꾸기도 해요.

유정님처럼 아직 20대 중반, 처음 투자를 시작하는 분들은 주식에 80~100% 공격적으로 투자하다가, 30대, 40대, 50대 은퇴시기가 가까워질수록 조금씩 주식비중을 줄이고 채권비중을 늘리는거에요.

나이	주식비중	채권비중
30세	80%	20%
40세	60%	40%
50세	40%	60%
60세	30%	70%
은퇴이후	20%	80%

유정 : 아~ 나이에 따라서 자산배분을 바꾸는거군요?

기욱 : 맞습니다. 투자의 기본 원리는 단순해요.

'나이가 어릴수록, 즉 투자기간이 길수록 공격적으로 투자한다'

여기 있는 분들은 아직 나이가 어리고,

은퇴까지 시간이 수십년이나 남아있기 때문에

당연히 지금 연금계좌에서는 공격적으로 투자하는게 맞습니다.

슬기 : 역시 일단은 주식에 100%

기욱 : 나중에 연금계좌에 돈이 많이 쌓이고 수익도 많이 생겨서

주식과 채권의 자산배분을 생각하시는 분은

직접 펀드나 ETF를 사고 팔면서 리밸런싱해도 되지만

좀 번거롭다 생각되면, TDF 상품을 이용하는것도 방법이에요.

유정 : TDF요?

기욱 : 네, TDF는 Taget Date Fund 의 약자로
나이에 따라서 자동으로 주식과 채권비중을 조절해주는 상품이에요.

KODEX TDF2050액티브 434060 ›

10,560 — 0 (0.00%)

<출처 : ETFCHECK.COM>

슬기 : TDF 저도 들어본것 같아요. 2050은 뭘 말하는걸까요?
기욱 : 저 숫자는 은퇴시점이에요.
예를 들어 저 상품은 2050년 은퇴기준으로,
아직 28년 정도 남았으니 지금은 주식에 70~80% 공격적으로 투자
하다가, 시간이 지날수록 주식비중이 줄어들고 채권비중이 올라가는
상품이에요. 나이가 들수록 더 보수적으로 운용하는거죠.

슬기 : 아, 그럼 2030, 2040 상품도 있는것 같은데,
이런 상품들은 은퇴시점이 2050년보다 더 빠르니까
채권비중이 2050 상품보다 높겠군요?
기욱 : 맞습니다. 은퇴시점까지 투자기간이 짧다보니
2050 상품보다는 좀 더 안정적으로 운용하는거에요.

유정 : 그럼 TDF 상품으로 투자하면 굳이 직접 주식과 채권으로
자산을 배분하거나 리밸런싱 할 필요가 없는거네요?
기욱 : 네, 직접 신경을 안써도 자동으로 자산배분과 리밸런싱이 되
는게 장점이죠. 하지만 세상에 공짜는 없죠?

TDF상품은 일반 펀드나 ETF에 비해서 수수료가 좀 더 비싸고
아직은 TDF 상품이 나온지 얼마 되지 않아서
장기적인 성과가 검증되지 않았다는 단점이 있기도 해요.
유정 : 아, 역시 공짜는 없군요.

슬기 : 혹시 배당형 펀드나 ETF는 어떨까요?
기욱 : 자산배분 측면에서 괜찮은 선택일 수 있어요.
유정 : 배당형 펀드가 뭘까요?
기욱 : 배당을 많이 주는 기업들 위주로 묶어서 투자하는 상품이에요
. 앞서 카페를 예를 들어서 주식의 개념을 설명드렸잖아요?
A와 B, 두개의 카페를 예로 들어서 배당투자를 설명해볼께요.

A카페와 B카페, 둘 다 1년에 5천만원을 벌었어요.
A카페는 번 돈 5천만원을 모두 주주에게 배당으로 나눠줬어요.
반면 B카페는 주주에게 한 푼도 주지 않고
그 돈으로 신메뉴 디저트를 개발하고, 인스타그램으로 마케팅하고
좀 더 고급스러운 인테리어 리모델링 비용으로 썼어요.

당장은 A카페의 주주들이 좋겠죠? 배당을 받았으니까.
유정 : 네, 맞아요.
기욱 : 반면 B카페 주주는 한푼도 못받으니 불만이 많겠죠.
지금 당장만 보면 B카페 투자보다 A카페 투자가 더 좋아보여요.
하지만.. 5년, 10년후에는 어떻게 될까요?

1) 번 돈을 주주들에게 배당으로만 계속 소모한 A카페
2) 신메뉴, 마케팅, 인테리어 등에 꾸준히 투자한 B카페
슬기 : 장기적으로는 B카페가 더 좋아지겠죠?
기욱 : 물론 100%는 아니겠지만, 그렇게 될 확률이 높겠죠?
A카페와 B카페처럼 기업도 2종류가 있어요.

A카페처럼 번 돈을 주주들에게 많이 배당해주는 기업과
B카페처럼 당장 배당하기보다는 기술과 미래에 투자하는 기업.
구글, 아마존, 테슬라, 엔비디아, 메타 등이 B에 해당되는데요.
이런 기업들은 미래 기술에 투자하기도 바쁘기 때문에, 당장 주주들
에게 배당을 준다거나, 주주환원을 하진 않아요.
하지만 회사의 매출과 이익이 계속 성장하기 때문에 이에 맞춰서 기
업가치와 주가가 많이 오르는 편이죠.

반면 전통적인 제조업, 은행, 에너지 기업들은 이미 성장이 어느정도
끝난 성숙한 산업이기 때문에, 굳이 미래에 무리하게 투자하지 않아
요. 차라리 그 돈으로 주주들에게 배당을 주는거에요.
말하자면 배당형 기업과 성장형 기업으로 나눠지는거죠.

슬기 : 아~ 그럼 배당투자가 그렇게 좋은건 아니군요?
기욱 : 물론 배당형 기업이 성장형 기업보다 주가상승이 덜 할 수는
있어요. 하지만 수익구조가 안정적인 회사가 많아서, 이익과 배당금
이 꾸준하기 때문에 주가의 변동성은 훨씬 덜한 편이에요.

뭐가 맞고 뭐가 틀린 투자는 없어요.

채권과 주식을 섞어서 리밸런싱 하는것과 똑같아요.

수익성은 낮을 수 있지만, 변동성을 낮춰주는거죠.

참고로 S&P500 상품도 배당을 줍니다.

슬기 : 아? 정말요?

기욱 : 2023년 말기준으로 대략 연 1.3% 배당을 주고 있어요.

투자금액이 1,000만원이라면 1년에 13만원 정도 배당 받는거에요.

연 1.3%면 그렇게 수익률이 높진 않죠?

유정 : 네, 은행이자에 비하면..

기욱 : 배당을 많이 주는 기업은 연 5% 이상 주는곳도 많거든요.

S&P500의 배당수익률이 낮다는건, 인덱스 안에 배당형 기업들보다

미래에 투자하는 성장형 기업들의 비중이 더 크다는 뜻이에요.

슬기 : 아? 그게 그런 의미가 될 수 있군요?

기욱 : 나스닥100 같은 경우는 배당률이 연 0.5%, 거의없죠?

나스닥은 S&P500보다 훨씬 더 성장형 기업 위주라는걸 알 수 있죠.

유정 : 아, 이제 이해가 가요. 그럼 주가의 변동성은

배당형 상품 < S&P500 < 나스닥100 순으로 큰 거네요?

기욱 : 맞습니다. 만약 보수적으로 투자하고 싶은 분이라면

배당형 상품투자도 괜찮을 수 있어요. 단, 너무 배당만 주고 성장이

없는 것보다는, 배당도 주지만 어느정도의 성장성도 있는

배당성장형 상품에 투자하는걸 추천드립니다.

<미국 배당성장형 ETF, 출처 : ETFCHECK>

ACE 미국배당다우존스
402970

KODEX 미국배당프리미...
441640

SOL 미국배당다우존스
446720

SOL 미국배당다우존스(H)
452360

TIGER 미국배당다우존스
458730

슬기 : 배당성장형요?

기욱 : 네, 배당과 성장의 중간에 있는 기업들을 묶어놓은 상품이에요. 대표적으로 미국의 SCHD ETF를 똑같이 추종하는 상품들이 국내시장에 있거든요. 연금계좌에서 이런 상품들에 일부 분산하는 것도 방법이에요. S&P500이나 나스닥100 인덱스보다 주가의 상승률은 더 낮을수 있겠지만 아무래도 변동성이 낮고, 꾸준히 배당금이 들어오기 때문에 주가가 하락하는 구간에서도 심리적으로 버티기에 수월하죠. 2023년 말 기준으로 배당수익률은 3.5%정도 입니다.

유정 : 얘도 그렇게 높진 않네요? 예금 금리도 4%인데..

기욱 : 주식투자는 예금이나 채권투자와 차이가 있는데요. 당장은 고금리의 예금이나 채권이 배당투자보다 좋아보이지만 장기적으로보면 달라져요. 예금과 채권은 성장이 없기 때문이에요.

유정 : 성장이 없어요?

기욱 : 예금이나 채권은 만기까지 이율이 변하지 않잖아요? 예를 들어 3년만기로 4% 예금에 가입했다면, 3년까지는 이율이 연 4% 고정이죠. 만약 3년후에 시장금리가 내려간다면, 그때는 더 낮은 이율의 예금에 가입해야할 수도 있고요.

반면 주식은 기업이 성장하면서 주가도 오르고, 배당금도 계속 커져요. 실제로 SCHD ETF는 지난 10년간 배당금+주가상승까지 연평균 10% 이상 성장했거든요, 누적수익률은 190% (2023년 말기준) 반면 연 4% 예금이나 채권의 10년간 누적수익률은 49%에요. 이처럼 투자기간이 길수록 성장이 없는 예금, 채권보다 당장 배당수익률이 낮더라도 주식투자가 더 유리해지는거에요.

슬기 : 전에 주식과 채권의 차이와 비슷한거군요. 사업이 잘 될수록 주식의 배당금이 계속 커지지만, 채권이자는 성장이 없다는 것.
기욱 : 네 맞습니다. 역시 예리하십니다. ㅎㅎ

물론 아직은 다들 나이가 어리기 때문에, 당장 연금계좌에서 채권이나 배당형 상품으로 너무 보수적인 투자를 할 필요는 없어요. 연금을 받을 수 있는 55세까지는 아직도 수십년이 남은데다, 55세에 한번에 돈을 다 찾는 것도 아니거든요. 만약 100살까지 산다면 55세부터 40년이 넘는 기간동안 천천히 연금을 받으면서 그 돈을 굴려야 하는 거잖아요?
슬기 : 아? 그것도 그렇네요.

기욱 : 그러니 지금 당장은 연금계좌의 자산배분보다는 전체자산에서 현금성자산, 투자자산, 부동산자산, 이 3가지 자산을 내 재무목표나 성향에 맞게 잘 배분하는게 더 중요할 것 같습니다.
일동 : 네~ 알겠습니다~

제14장 : 장기적인 투자의 방향성

기욱 : 이번엔 장기적으로 우리가 어디에 투자해야하고,
어떻게 자산배분을 하면 좋을지? 에 대해서 이야기 해볼께요.
슬기 : 장기적인 자산배분이요?

<2050년 인구피라미드 / 출처 : 통계지리정보서비스>

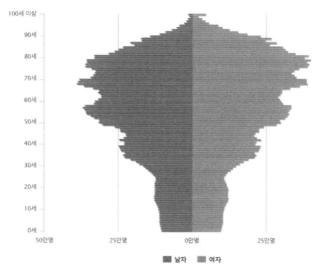

기욱 : 네, 이건 2050년 우리나라의 연령별 인구 피라미드에요.
아마 뉴스에서 많이 보셨을꺼에요. 어떤 생각이 드시나요?
현수 : 아.. 노인들만.. 가득하네요..

기욱 : 네, 맞습니다. 너무 암울하죠.

이런 극단적인 인구구조는 전 세계 어디에도 없어요.

안타깝지만 이런 인구구조의 변화는 막을 수가 없어요.

인구는 하루 아침에 바꿀수 있는게 아니거든요.

서울대 유명한 인구학 교수님 말처럼, 2050년의 이 암울한 인구 피라미드는 이미 정해진 미래에요. 이제 우리가 바꿀 수 없어요.

슬기 : 우리나라 미래가 정말 걱정이긴해요.

기욱 : 미래가 어둡고 암울하다고 비관만 하고 있을순 없죠.

미래를 예측하고, 거기에 맞게 준비하고 대비해야 해요!

저런 인구구조가 되었을 때, 어떤 일들이 생길까요?

슬기 : 일단.. 국민연금은 못 받을것 같아요..

현수 : 소비도 줄고 경제가 성장하기 힘들것 같아요.

유정 : 일할 사람이 줄어드니까 일자리는 남아돌지 않을까요?

성준 : 노인관련 사업이 잘 될 것 같습니다?

기욱 : ㅎㅎ 물론 20~30년 뒤의 일이니까 누구도 확신할 순 없겠죠.

저는 개인적으로 3가지를 생각해봤어요.

일단 첫 번째로는 슬기님 말처럼 국민연금을 받는데 어려움이 생길 것 같아요. 연금을 받아가는 노인들은 갈수록 많아지는데, 돈을 내야 하는 청년들은 갈수록 줄어드니 결국 국민연금 재정은 고갈될 수 밖에 없을거에요.

물론 고갈된다고 연금을 한 푼도 못받는 일은 생기진 않겠지만 아무래도 지금보다는 훨씬 적은 연금을 받게될 가능성이 크겠죠.

유정 : 돈이 고갈되면 연금을 어떻게 주나요?

기욱 : 유정님, 예리한 질문입니다. 두 번째 변화가 바로 그거에요. 국민연금 재정이 결국 고갈되서 바닥나면, 어떻게 노인들에게 연금을 줄 수 있을까요?

현수 : 세금을 더 걷어서?

기욱 : 맞습니다. 결국 돈을 더 걷을 수 밖에 없어요.

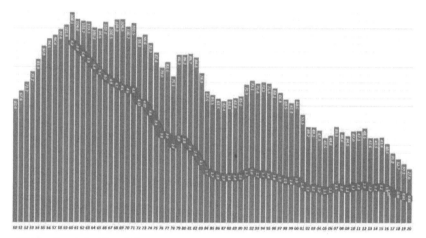

<출처 : Graph by Happist>

기욱 : 이건 우리나라 연도별 출생자 그래프에요.

1955년~1975년까지 거의 20년간, 한 해에 태어난 인구가 80~100만명 수준인데요. 2022년에 태어난 신생아는 25만명도 되지 않으니.. 출생아가 거의 1/4토막으로 줄어들었잖아요?

슬기 : 이렇게 보니 정말 심각한 수준이네요..

기욱 : 2050년이 되면 거의 20~40만명씩 태어난 세대들이, 80~100만명씩 태어난 노인세대를 부양해야 해요. 이렇게되면 꼭 국민연금 뿐 아니라 건강보험, 장기요양보험, 기초연금, 공무원연금, 군인연금, 사학연금, 주택연금 등 노인세대의 부양을 위해서 엄청난 재원이 필요하기 때문에 필요한 돈을 세금으로 걷을 수 밖에 없어요.

성준 : 지금도 세금이 부담인데.. 더 심해지겠군요.

기욱 : 이런 극단적인 인구구조는 정상적인 방법으로 유지가 불가능해요. 미래에 아무리 세금을 많이 걷는다해도 결국 한계가 있어요.
소득의 50~60%를 세금으로 낼 수는 없잖아요?
그렇다고 노인세대의 혜택을 줄이기도 쉽지 않아요.
선거에서 표 때문에, 정치인들이 개혁하기 힘들거든요.
지난 수 십년간 국민연금 개혁을 하지 못했던 가장 큰 이유죠.

슬기 : 맞아요. 이제와서 보험료를 올린다고..
기욱 : 네. 너무 무책임한 행동이긴 하죠.
이처럼 노인세대의 복지혜택을 줄이는 것도 쉽지 않고,
미래에 세금을 무한정 걷는데에도 한계가 있어요.
이런 상황에서 미래의 정부는 어떤 선택을 할까요?
유정 : 외국에서 돈을 빌려온다?
기욱 : 어느 나라가 선뜻 돈을 빌려줄까요?
빌린다고 해도 그 이자는 어떻게 감당할 수 있을까요?
유정 : 그것도 그렇네요..

슬기 : 그냥 돈을 찍어낸다?

기욱 : 네, 맞습니다. 결국 20~30년 뒤, 정부가 선택할 수 있는 방법은.. 그냥 돈을 찍어내는 수밖에 없을것 같아요.

유정 : 돈을 찍어내요?

기욱 : 네, 정부부채를 발행해서 그 돈으로 노인들 연금도 주고 병원 치료도 받게 해주고, 요양시설 비용도 지원해주고 하는거에요. 그냥 돈을 찍어내서 노인들 복지를 해결하는거죠. 우리보다 고령화가 먼저온 일본이 이미 그렇게 하고 있거든요.

현수 : 앗.. 그렇게 해도 문제가 없나요?

기욱 : 세상에 공짜는 없으니.. 당연히 문제가 생기겠죠? 다른 나라들도 다같이 돈을 찍어내면 상관 없겠지만, 우리만 유독 돈을 많이 찍어내면, 우리나라 화폐, 원화의 가치는 어떻게 될까요?

슬기 : 아, 환율..?

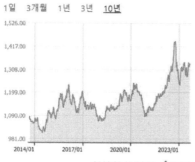

기욱 : 이건 지난 10년간의 환율 그래프인데요. 10년전에는 1,100원만 있으면 1달러를 살 수 있었는데 2023.09.13 기준으로 1,328원이 있어야 1달러를 살 수 있게 되었잖아요? 그만큼 우리나라 원화의 가치가 달러대비 상대적으로 낮아진거에요.

환율	$1,000 아이폰
1,000원	100만원
1,300원	130만원

기욱 : 위의 표처럼 원달러 환율이 1,000원일 때는, 1,000달러짜리 아이폰을 $1,000 x 1,000원 = 100만원에 살 수 있었지만
지금처럼 환율이 1,300원으로 오르면 $1,000 x 1,300원 = 130만원
아이폰의 가격은 그대로지만, 단지 원화의 가치가 하락하는 바람에
무려 30%나 비싼 가격을 부담하고 사야 한다는 거죠.
유정 : 아아..

기욱 : 인구구조가 탄탄했던 지난 10년동안에도 원화가치가 계속 하락해왔는데.. 20~30년뒤 고령화로 인한 인구충격을 돈을 찍어서 해결하려 한다면.. 미래의 원화가치와 환율은 어떻게될까요?
슬기 : 지금보다 더 떨어질 가능성이 클 것 같아요..

기욱 : 물론 미래의 일은 누구도 확신할 순 없겠지만, 이런 극단적인
인구구조에서는 일단 경제가 제대로 성장하기도 힘들고,
심각한 고령화로 인한 국민연금, 건강보험 등의 재정악화를 감안하면
원화의 가치는 장기적으로 더 하락할 가능성이 높은게 사실이에요.
물론 20~30년후 장기적으로 그렇다는 것이지, 지금 당장 원화가치가 하락한다는 뜻은 아니에요. 특히 단기적으로 환율이 어떻게 될지는 그 누구도 알 수 없으니까 꼭 주의하셔야해요.

기욱 : 결국 미래에 벌어질 일들을 다시 정리해보면

1) 국민연금, 건강보험 등의 혜택이 줄어들 가능성이 크고

2) 노인세대 부양을 위해서 세금을 크게 올릴 수 밖에 없으며

3) 그럼에도 부족한 돈은 부채를 발행해서, 찍어낼 수 밖에 없을꺼에요. 장기적인 원화가치의 전망도 암울할 수 밖에 없죠.

암울한 미래지만 그래도 잘 대비해야겠죠?

첫 번째로 국민연금이 고갈될 수 있으니, 국가가 우리 노후를 잘 책임져줄꺼라 기대하지 말고 우리 스스로 잘 준비해야 해요.

그러려면 열심히 돈을 모으고 투자도 잘 해야겠죠?

유정 : 네!~

기욱 : 두 번째로 앞으로 계속 세금이 올라갈테니,

우리 투자수익을 지킬 수 있는 절세계좌를 준비해야 해요.

대표적으로 ISA, 연금저축 계좌 등이 있겠죠?

월 30만원씩, 30년간 일반계좌에서 투자했을 때와, 연금계좌에서 투자했을 때의 성과차이를 기억하시죠? 세액공제로 돌려받은 금액을 재투자했을 경우, 1억이 넘게 차이났잖아요?

유정 : 네, 기억나요. 세금이 정말 무서워요.

기욱 : 하지만 이 시뮬레이션은 현재의 세금 기준이에요.

인구구조상 20~30년 뒤에는 지금보다 훨씬 세금을 많이 걷어갈 가능성이 크잖아요?

슬기 : 아.. 그렇네요..

기욱 : 현재 해외투자에 대한 양도소득세율 22%가 먼 미래에 더 오른다고 가정하고 계산해볼게요.

<세율에 따른 연금계좌 vs 일반계좌 최종잔고>

세율	연금저축	일반계좌	차액
현재		3.5억원	1.1억원
33%	4.7억원	3.2억원	1.5억원
44%		2.8억원	1.8억원

기욱 : 보다시피 차이가 정말 크죠?

유정 : 와.. 엄청난데요.. 세금만 2억 가까이 차이나네요..

현수 : 기껏 투자해서 세금으로 다내게 생겼네요.

기욱 : 물론, 실제로 이렇게까지 세금을 올릴지는 알 수 없지만, 지금보다 투자에 대한 세금이 높아질 가능성이 큰 건 사실이에요.

슬기 : 설마, 나중에 연금저축의 세금혜택이 없어지진 않겠죠?

기욱 : 물론 그런 우려도 아예 없는건 아니지만.. 이미 혜택이 있을때 계좌를 만들고 투자한 사람들에게까지 소급적용해서 세금을 물리진 않을꺼에요. 뭐가 되었든, 일반계좌에서 아무런 준비 없이 투자하는 것보다는 훨씬 낫겠죠?

슬기 : 그건 그렇죠.

기욱 : 그래서 20~30년 후의 노후준비를 위한 투자라면, 연금저축 계좌를 꼭 활용하는게 좋습니다. 저도 연금계좌로 투자중이에요.

유정 : 네! 연금저축 꼭 해야겠어요!

기욱 : 마지막 세번째, 원화가치 하락.

이건 심플합니다. 원화가치가 장기적으로 하락할 것 같다면 원화자산이 아닌 자산에 분산투자하면 됩니다.

유정 : 원화자산이 아닌 자산이요?

기욱 : 네, 서울의 아파트는 무슨자산일까요?

슬기 : 부동산자산? 아, 원화자산요?

기욱 : 네, 맞습니다. 원화로 된 자산이죠.

그럼 삼성전자나 코스피200 인덱스같은 국내 주식은요?

유정 : 원화자산요.

기욱 : 은행에 있는 예금, 적금은요?

현수 : 원화자산요.

기욱 : 그럼 애플 주식이나 S&P500 같은 인덱스는요?

슬기 : 아? 그게 달러자산이군요?

기욱 : 네, 맞습니다. 원화자산이 아닌건, 다른 국가의 통화로 되어있는 자산을 말해요. 대표적으로 S&P500, 나스닥100 인덱스 모두 미국 주식으로 달러자산이죠.

유정 : 아~ S&P500도 달러자산이었군요?

기욱 : 환율에 따라서 실제 수익률도 달라지게 되요.

예를 들어 1,300원 환율에서 S&P500에 1,000만원을 투자했는데, 20~30년 뒤, 환율이 2,600원으로 2배 올랐다고 가정하면 S&P500 주가가 전혀 오르지 않아도, 환율효과만으로 1,000만원이 2,000만원이 되는거에요.

유정 : 아~ 환율로도 수익이 나는군요?

기욱 : 네, 이걸 환차익이라고 해요.

장기적으로 환율이 어떻게 움직여왔는지 보여드릴게요.

<1970년~2020년 원달러 환율, 출처 : 통계의눞>

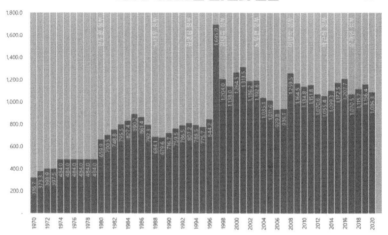

기욱 : 보다시피 30년전, 1993년의 원달러 환율은 807원이에요.

슬기 : 와.. 원화가치가 계속 하락해왔네요?

기욱 : 여기에는 여러 복잡한 이유들이 있지만..

어쨋든 원화가치가 지속적으로 하락해왔다는건 분명한 사실이에요.

만약 30년전 S&P500에 천만원을 투자했다면 최종금액은 1억6천만

원 정도지만, 1993년 원달러환율 807원을 감안하면 환율만으로도

64%의 차이가 나는걸 알 수 있죠?

환차익까지 계산하면 최종금액은 267,463,462 원이 됩니다.

투자원금	10,000,000	수익률
최종금액	163,087,477	1,530%
환율계산	267,463,462	2,674%

유정 : 와~ 진짜 차이가 엄청나네요??

슬기 : 환차익은 생각도 못했는데, 진짜 차이가 크네요.

기욱 : 네, 그래서 장기투자할때는 이런 점도 꼭 생각해야 해요. 물론 미래에도 과거 30년처럼 원달러 환율이 오를지 확신할 순 없겠지만.. 아무리 생각해도 장기적으로 보면, 원화가치가 달러가치 대비 더 높아지기는 힘들 것 같아요.

슬기 : 네, 오히려 과거 30년보다 더 심해질것 같아요.

기욱 : 그러니 연금저축, IRP 같은 장기간의 투자에서는, 달러자산에 투자하는게 더 나을꺼에요. 물론, 제 개인적인 소견입니다.

성준 : 저도 동의합니다. 아무리 생각해도 장기적으로 한국에 투자하는건 진짜 아닌것 같네요.

기욱 : 제가 S&P500, 나스닥100과 같은 주식자산만 알려드렸는데 사실은 미국 정부의 국채도 펀드나 ETF로 투자할 수 있고 미국의 부동산에도 손쉽게 투자할 수 있어요. 상가, 빌딩, 오피스 등 다양한 부동산에 투자하는 상품을 리츠라고 하거든요. 나중에 시드머니가 어느정도 커졌을 때는 꼭 주식뿐 아니라, 채권이나 부동산리츠 같은 자산도 같이 분산하면 좋을 것 같아요.

유정 : 오, 채권, 주식, 부동산 모두 달러로 투자 가능한거군요?

기욱 : 네, 맞습니다. 채권, 주식, 부동산 자산 모두 장기적으로는 원화베이스 보다 달러베이스로 보유하는게 핵심입니다.

TIGER 미국S&P500

TIGER 미국S&P500 선물(H)

제가 펀드와 ETF 설명 드릴때, 이름에 (H)가 붙어있는 환헷지 상품은 추천드리지 않았는데, 환헷지 상품은 단기적으로 환율의 등락에 따른 리스크를 피할 수 있겠지만 장기적으로 이런 환율로 인한 수익, 환차익은 전혀 얻을 수 없어요.

값비싼 환헷지 비용만 부담하고, 수익의 기회는 놓치게 되는거에요.

그러니 장기투자 할때, 환헷지 상품은 꼭 피해야 해요.

<2050년의 변화와 대처방안>

1. 국민연금 고갈 → 스스로 준비하기

2. 세금인상 → 연금저축, IRP 절세계좌 활용

3. 원화가치 하락 → 달러자산 확보

기욱 : 꼭 달러자산이 아니라도 유로화, 엔화, 위안화 등 다양한 통화의 자산이 있어요. 하지만 그럼에도 달러자산을 이야기하는 까닭은 미국이 그래도 아직은, 그리고 앞으로도 상당 기간동안 전 세계의 패권국이자, 기축통화국이기 때문이에요.

유정 : 미국이 그래도 최고인건가요?

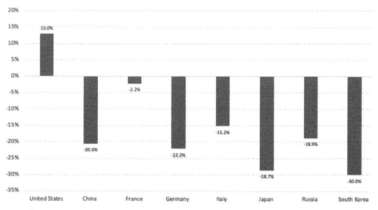

Estimated Percentage Change In Working-Age Population, 2019-2050

<출처 : Census Bureau International Database>

기욱 : 이건 2050년까지 일 할 수 있는 젊은인구의 변화를 나타낸 그래프에요. 제일 우측에 우리나라가 있죠.

2050년에 2019년 대비 젊은인구가 30% 사라진다는 뜻이에요. 2019년 자료라, 그후 저출산이 더 심해졌으니.. 실제로는 더 심각해질수도 있어요. 한가지 다행이라면.. 꼭 우리나라만 그런건 아니죠. 일본, 중국, 독일, 프랑스, 이태리 등 주요 국가 모두 젊은인구가 계속 줄어들잖아요?

성준 : 유일하게 미국만 늘어나네요?

기욱 : 맞습니다. 대부분 선진국들은 젊은인구가 줄어드는데 오직 미국만이 13% 오히려 젊은인구가 늘어나죠. 왜 그럴까요?

유정 : 미국의 출산율이 높아서?

기욱 : 2022년 미국의 출산율은 1.7~1.8 사이로, 물론 우리보다는 훨씬 높지만 그래도 젊은인구가 계속 늘어날 정도는 아니에요.

현수 : 그럼.. 왜..?

슬기 : 아, 이민이군요!

기욱 : 맞습니다. 미국은 시작 자체가 이민자의 나라였죠.
여전히 미국은 이민자의 나라고, 기회의 땅이에요.

아직도 전 세계의 '젊은 인재'들이 미국으로 모여들고 있어요.
실제로 미국내에서 태어나는 신생아와, 다른 국가에서 미국으로 이민 오는 사람의 숫자가 비슷하며, 몇 년 뒤에는 오히려 이민자 수가 미국의 신생아 수를 뛰어넘는다고 해요.

유정 : 와.. 이민.. 그렇군요..

기욱 : 혹시 여기에서 아는 분이 있을까요?

슬기 : 스티브잡스랑 일론머스크는 알아요.

현수 : ??? 전 거의 모르겠네요.

기욱 : 제가 간단히 소개해드릴게요

일단 이 분을 모르는 사람은 없을꺼에요.
애플의 창업자인 스티브 잡스죠.
현재 전 세계 50억명이 사용하는 스마트폰 생
태계를 만든 분이에요.
스티브 잡스는 미국에서 태어났지만, 친아버
지는 시리아 사람이었어요.

유정 : 네?? 시리아요??

기욱 : 네, 시리아에서 미국으로 온 유학생이었죠. 이 분이 미국으로
유학오지 않았다면 스티브 잡스도 아이폰도 없었겠죠?

이 분은 아마 세계에서 가장 유명한 경영자일
꺼에요. 테슬라와 스페이스엑스 등 여러 혁신
기업을 만든 일론 머스크에요.
세계 1위 수준의 부자기도 하죠.

현수 : 아~ 테슬라는 알아요.

기욱 : 일론 머스크는 사실 아프리카 출신이
에요. 남아프리카공화국에서 아메리칸 드림을
꿈꾸며 미국으로 온거에요. 실제로 그 꿈을 이뤘고, 세계에서 가장
혁신적인 경영자이자, 성공한 사업가가 되었죠.

슬기 : 와? 일론 머스크가 아프리카 출신? 처음 알았어요.

기욱 : 이분은 미국인이 아닌것 같죠?

유정 : 네, 인도쪽인가요?

기욱 : 네. 맞습니다. 인도출신이고요, 스마트폰 시대에 적응하지 못하고 IT업계의 퇴물 소리를 들으며, 나락으로 떨어 졌던, 마이크로소프트를 구해낸 CEO 사티아 나델라에요.

이분 역시 인도출신인데요. 구글의 모회사, 알파벳의 CEO 순다 피차이에요.

슬기 : 와 구글과 마이크로소프트의 CEO가 모두 인도사람이라니..

기욱 : 인도출신 CEO가 미국에 정말 많아요. 인도에서 정말 자기 실력에 자신있고, 똑똑한 젊은 인재들은 어디로 갈까요?

성준 : 미국으로 가겠죠. 저도 능력만 되면 가고 싶습니다

기욱 : 이분은 세르게이 브린. 구글의 창업자에요. 세르게이.. 이름에서 뭔가 느낌이 오지 않나요?

슬기 : 동유럽쪽인가요?

기욱 : 네, 비슷합니다. 러시아, 모스크바 출신이에요. 6살에 미국으로 건너왔죠. 유태인이고요.

이분은 제프 베조스.
아마존 창업자인데요. 일론 머스크 이전에 세계 최고의 부자로 유명했죠.
제프 베조스는 비록 미국에서 태어났지만, 친아버지는 덴마크 출신이고,
실제로 베조스를 키워주고, 아마존을 창업하는 데 많은 도움을 준 양아버지는 16살에 홀로 쿠바에서 미국으로 넘어온 난민 출신이었어요.
아버지와 아들, 둘 다 아메리칸 드림을 이룬 셈이죠.

기욱 : 이 두분은 딱 보면 동양인같죠?
왼쪽이 잰슨 황,
엔비디아의 창업자,
오른쪽이 리사 수,
현재 AMD CEO에요.

둘 다 대만 출신입니다. 글로벌 반도체 업계의 거물들이죠.
특히 엔비디아와 AMD 두 기업 모두 앞으로 AI 시대에 굉장히 중요한 기업들이라 관심이 커지고 있어요.

결국 이분들 모두가 글로벌 기업의 창업자 혹은 경영자들이에요.
세상을 바꿨다고도 할 수 있는 위대한 사람들이죠.
공통점은 모두 미국인 이민자거나, 이민자의 후손이라는 거에요.

유정 : 정말 미국은 이민자의 나라군요.

현수 : 그래서 미국의 젊은인구가 계속 늘어나는거군요.

기욱 : 네, 맞습니다. 장기적으로 보면 앞으로 젊은인구가 계속 늘어
나는 곳은 라틴아메리카, 아프리카, 인도 및 동남아시아,

이렇게 세 곳인데, 이곳의 젊고 똑똑한 인재들이 과연 자신의 꿈을
이루기 위해 어디로 가게 될까요?

슬기 : 역시 미국이겠네요.

기욱 : 그런이유로 우리자산을 어디에 투자할 것인가?

저는 앞으로 수십년간 여전히 미국이라고 생각해요.

1) 글로벌의 똑똑하고 유능한 젊은인재들이 계속 몰려들고

2) 여러 인종, 인재들의 융합속에서 새로운 기술과 혁신이 일어나며,

3) 거기에 대한 자본과 투자생태계까지 잘 갖춰져 있는 곳.

인재와 혁신, 자본의 3박자가 있는 곳.

그래서 저도 미국의 달러자산 비중을 계속 키우고 있어요.

유정 : 달러자산 비중 키우기. 메모메모.

기욱 : 물론 이건 저의 지극히 개인적인 생각이에요.

투자에 100%는 없어요. 미래는 누구도 알 수 없겠죠.

다만 저와 달리 미국보다 한국의 미래를 긍정적으로 본다고 해도,

원화자산에만 100% 투자하는건 너무 위험해요.

한국의 부동산, 은행의 예,적금 모두 원화자산인데

심지어 주식투자마저 한국주식만 하는 분들이 많거든요?
장기적으로 자산배분할때, 내 자산에서 원화자산이 어느정도인지?
달러자산은 어느정도인지? 비중을 체크하면 좋아요.

유정 : 네~ 명심할께요!

< 3줄요약>
1. 국민연금 고갈 → 스스로 준비하기
2. 세금인상 → 연금저축, IRP 절세계좌 활용
3. 원화가치 하락 → 달러자산 확보

기욱 : 자산배분에 관련된 내용은 아니지만,
암울한 미래에 대비하는 방법이 한 가지 더 있는데요.
자본을 국내보다 기회가 많은 곳에 투자하듯
우리 스스로가 기회가 많은 곳으로 가는 방법도 있어요.

유정 : 네?
슬기 : 이민이군요.

기욱 : 네, 맞습니다. 상담하다 보니 체계적으로 취업 이민 관련해서
준비하는 분들이 많더라고요. 스터디도 많이 하는 것 같고.
슬기 : 네, 맞아요. 제 친구도 스터디하고 있더라고요.
사실 저도 고민해본적이 있거든요.
기욱 : 네, 꼭 평생을 한국에서만 살라는 법은 없어요.
지금 우리나라는 세금도 낮은 편이고, 의료복지도 잘 되있고,

치안도 좋고, 여러므로 살기 좋은 곳이지만..
'과연 20~30년후에도 지금처럼 살기 좋은 곳일까?'
에 대해서는 의구심이 많이 드는게 사실이에요.

이미 고령화에 저성장 사회로 들어섰기 때문에,
예전처럼 성공할 수 있는 기회도 많이 줄어든게 사실이고..
다들 아직 어리고 앞 날이 창창하시니
해외에서 기회를 찾는 것도 방법이긴해요.

참고로 해외로 이민가면, 여지껏 냈던 국민연금은
납부했던 원금에 소정의 이자까지 해서 돌려받을 수 있어요.
성준 : 아? 정말요?
슬기 : 오, 저도 그건 몰랐네요?
기욱 : 그렇다고 국민연금 냈던거를 돌려받기 위해서 이민 가는건 아
니고요. 내 미래와 행복을 위해서 각자 잘 판단하면 됩니다.

유정 : 네! 지금 당장은 아니지만
먼 미래에는 이민도 생각해봐야겠어요.
일단 영어공부부터 해야겠네요!
일동 : (웃음)

제15장 : 실거주 주택마련

기욱 : 자산배분의 큰 방향성에 대해서 이야기 드렸는데요.
사실 우리나라 사람들의 자산 중 대부분은 부동산이죠.
제가 상담했던 대부분 청년들분이 돈을 모으는 이유
즉 재무목표 1순위로 꼽은 것도 '내집마련' 이었거든요.
슬기 : 맞아요. 집이 제일 문제긴해요.
유정 : 내집마련. 저도 하고 싶어요.

기욱 : 그래서 실거주 목적의 내집마련에 대해서 좀 더 솔직한 이야기를 해볼까요. 사실 집값이 굉장히 오랫동안 올라왔는데요
최근에는 오히려 집값이 하락하면서 분위기가 심상치 않죠.
유정 : 네, 많이 떨어졌다고 뉴스에서 봤어요.

기욱 : 곧 다시 집값이 오를꺼라는 분도 있고, 심각해지는 저출산, 고령화와 인구감소로 인해서, 과거 30년간 집값이 하락하기만 했던 일본의 흑역사를 우리도 똑같이 밟는게 아니냐는 우려의 목소리도 나오고 있는데요
슬기 : 그러게요. 앞으로 어떻게 될까요?
기욱 : 솔직히 말해서 앞으로 집값이 어떻게 될지?

아무도 모른다고 생각해요. 미래의 일을 어떻게 알겠어요?
하지만 앞으로 집값이 오르든, 떨어지든 관계없이,
실거주 목적의 집 한 채는 꼭 있어야 한다고 생각해요.
의식주, 중에서 특히 주거는 인간의 기본권이에요.
내 집 한 채는 있어야 심리적으로 안정될 수 있거든요.

성준 : 맞습니다. 저도 곧 결혼을 앞두고 있다보니 정말 공감합니다.
기욱 : 나와 내 가족이 잦은 이사나, 집 주인의 횡보 같은 걱정 없이
마음 편히 발 뻗고 살 수 있는 공간이 있다는 것.
직접 인테리어도 하고, 가꾸고 꾸미는 즐거움이 있다는 것.
전설적인 주식투자자로 유명한 피터 린치나 여러 주식투자의 현인들
조차도 내집마련의 중요성에 대해서 강조했었거든요.

그래서 언론매체에서 부동산 관련 전문가들이 나와서,
"실거주 목적의 내집마련은 언제나 옳다"고 이야기하곤 했는데요
내집마련의 중요성에는 당연히 동의하지만,
'언제나 옳다'라는건 문제가 있다고 생각해요.
유정 : 아? 그래요?
기욱 : 그 '언제'로 인해서 한 사람의 인생이 바뀔 수도 있거든요?
주식과 부동산 투자의 가장 큰 차이점은 매수시점이에요.
물론 주식투자도 주식을 사는 타이밍이 중요하긴 하지만,
매월 적립식으로 분할해서 투자가 가능하기 때문에
정확히 주가의 딱 최저점에 투자해야 한다는 부담감은 적은편이죠.

유정 : 맞아요. 적립식투자.

기욱 : 하지만 부동산은 달라요. 적립식투자가 불가능해요.
내가 계약서를 쓰는 매수금액으로 무조건 사야 해요.

유정 : 아..

기욱 : 게다가 투자금의 사이즈도 주식과 차원이 다르죠.
최소 수억원에서 심지어 10억이 넘는 경우도 있잖아요?
게다가 30~40년, 심지어 50년.. 대출까지 받아야 하죠.

슬기 : 진짜 그렇네요.

기욱 : 솔직히 한 달에 200만원씩 저축하기가 정말 쉽지 않아요.
30살부터 60살까지 30년간 매월 200만원씩 저축하기는 더 쉽지 않
겠죠? 그럴 수 있다고 가정해도 30년 평생의 저축금액은 7억정도에
요. 하지만 서울엔 7억보다 비싼 집들이 많잖아요?

슬기 : 맞아요… 집값이 너무 비싸요..

기욱 : 이처럼 집을 산다는건, 내가 평생 모을 수 있는 돈,
혹은 그보다 더 큰, 그야말로 인생에서 가장 비싼 걸 사는거잖아요?
이렇게 비싼걸 사는데, 한 사람의 인생이 달려있는데..
실거주 내 집마련은 '언제나' 옳다? 너무 무책임한 말이죠.
집은 '언제나' 사는게 아니고 최대한 '쌀 때' 사야 해요.
집을 사는 '타이밍' 이야말로 내집마련에서 가장 중요한거에요.

유정 : 아.. 맞네요. 부동산은 타이밍이군요!

기욱 : 예를 들어 잠실의 모 단지 아파트를 2022년 고점에서 24억에 산 사람과, 불과 1년도 안되서 15억 급매로 산 사람은 둘 다 실거주 목적으로 샀다고 해도 차이가 너무 크잖아요?

유정 : 헉.. 거의 10억차이네요..

기욱 : 네, 집 사는 타이밍으로 인해서, 한 사람의 인생이 달라진다해도 과언이 아니죠. 실거주 목적의 내집마련이 언제나 올다는게, 왜 문제가 있는지 아시겠죠?

내집마련은 '타이밍'이 생명이에요.
물론 그렇다고 완벽히 집값의 최저점을 잡기는 힘들겠죠.
그래도 어느정도 가격이 충분히 하락했을 때 사야 해요.
자산의 가격은 영원한 상승도, 영원한 하락도 없어요.
그래서 실거주 목적의 내집마련을 생각한다면
부동산시장의 싸이클에 대해서 공부하면 좋아요.

유정 : 싸이클공부! 메모메모.

기욱 : 그럼 언제가 내집마련을 위한 좋은 타이밍일까요?
여러 전문가들의 공통된 의견들을 정리해봤어요.

첫 번째는 미분양 아파트 추이인데요. 한 때는 건설사에서 아파트를 분양할때, 서로 분양 받으려고 경쟁이 치열했죠?

슬기 : 맞아요. 저도 청약 넣었다가 매번 떨어졌었는데..

기욱 : 하지만 최근에는 오히려 미분양 아파트가 늘어나고 있어요.
금리가 높고, 집값 상승이 불투명해졌기 때문인데요.

<출처 : 리치고 사이트, 서울 미분양 아파트> 2024.01.09 기준

계속 분양이 되지 않으면 결국 건설사는 가격을 할인해서 분양해야 해요.

슬기 : 아? 건설사도 아파트를 할인해서 파나요?

기욱 : 실제로 10여년 전에는 분양이 너무 안되서, 원래 분양가의 40~50%까지 할인해서 파는 곳도 있었어요.

그럼 제가격을 주고 입주한 사람들이 가만있지 않겠죠?

슬기 : 그렇겠죠.

기욱 : 절반 가격으로 할인 분양 받은 사람들이 아파트에 못 들어오게 하려고 기존 분양자들이 아파트 입구에 바리게이트 치고, 불 지르고, 경찰 출동하고.. 아주 난리도 아니었어요.

유정 : 헐.. 그런 일이 있었나요?

기욱 : 네, 물론 이번에도 그런 일이 생길지는 알 수 없지만 미분양 주택은 해소되기까지 제법 시간이 필요해요.

그러니 미분양 주택이 줄어드는 시점을 잘 살펴봐야해요.

다만 최근에는 어차피 분양이 안될 것 같으니, 아예 분양을 하지 않고 미루는 경우도 많아서.. 시간의 추이를 두고 지켜봐야 해요.

유정 : 미분양 주택 추이 확인. 메모메모.

<출처 : 리치고 사이트, 서울 아파트 전세가율> 2024.01.09 기준

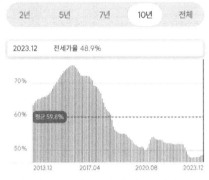

기욱 : 두번째는 전세가격.
금리가 오르면서 최근 전세가격이 많이 떨어졌어요.
보통 전세대출은 담보대출과 달리 이자만 갚기 때문에 금리상승에 더 취약해요.
하지만 시간이 지나서 금리가 안정되고, 전세가격도 충분히 하락하면, 다시 전세가가 올라가는 시점이 있을꺼에요.
매매가격과 전세가격이 가까워지는 시점이 집 사기 좋은 타이밍이라고 하는 분도 있는데 일리가 있어요.

<출처 : 리치고 사이트, 서울 아파트 거래량 및 매물> 2024.01.09 기준

기욱 : 세 번째는 거래량.
가장 중요한 지표 중 하나에요. 사실 2021년 이후로 집값이 많이 올랐지만 거래량은 그렇게 많지 않았어요.
그래서 거래량이 너무 적었던 집값 상승은 허수로 보는 전문가들도 많은 것 같아요.
슬기 : 허수요?

기욱 : 네, 거래량이 적다는건 다수의 사람들이, 지금의 가격이 적절하지 않다고 생각하기 때문이라고 할 수 있어요.

반대로 거래량이 많다는건 다수의 사람들이 이정도 가격이면 합리적이라고 생각한다는 뜻이 될 수 있겠죠?

슬기 : 아아, 그렇네요.

기욱 : 만약 많은 사람들이 내 소득 대비 집값이 충분히 떨어졌다고 판단하면 집을 많이 사게되면서, 자연스럽게 거래량도 늘어날꺼에요.

여기있는 분들은 집값이 계속 오르는것만 보셨겠지만,

2008~2014년. 거의 5~6년간은 부동산 경기가 매우 안 좋았어요.

현수 : 아? 정말요? 그런적도 있었나요?

기욱 : 네, 뉴스에서 하우스푸어 이야기도 많이 나오고, 일본처럼 이제 계속 집값이 하락한다는 말도 많았고, 거래량도 거의 없었죠.

하지만 2014년부터 거래량이 늘어나기 시작했는데요.

돌아보면 그 때가 집값의 바닥이었어요.

가격하락이 충분히 일어나고,, 다시 경기가 좋아지면 거래량도 늘어날꺼에요. 그러니 거래량을 잘 체크해야겠죠?

유정 : 네~ 거래량체크.

기욱 : 네 번째는 세금인하인데요. 과거 5~6년간의 부동산 침체기가 있었다고 했잖아요? 너무 거래가 안되다보니 2013년에 주택을 처음 사는 사람에게는 취득세를 완전히 면제해줬어요.

심지어 미분양 주택을 살 때는 양도세도 완전히 면제해줬죠.

이 때 집을 산 친구가 있었는데요

다들 주변에서 이제부터 본격적인 집값 하락의 시작이라고

정부의 마지막 폭탄돌리기에 넘어가지 말라고 난리였는데

지나고보니 그 때가 집값의 바닥이었죠.

성준 : 아, 그랬겠네요. 진짜

기욱 : 최악의 상황이 오면, 정부는 세금이 덜 걷히더라도

부동산 관련 규제를 풀고, 세금을 깎아주게 되있어요.

실거주 목적으로 집을 산다면 양도세보다 취득세가 더 중요할테니

취득세 면제가 중요한 시그널이 되지 않을까 싶습니다.

참고로 지금은(23년1월기준) 생애 최초로 집을 사는 사람에게

취득세를 200만원까지만 감면해주고 있으니, 2013년의 완전 감면에

비하면 아직은 혜택이 약한 편이죠.

마지막으로 통화량 대비 부동산 가격을 비교해보는 것도 있어요.

유정 : 통화량이요?

기욱 : 네, 통화량은 시중에 풀린 돈의 총량을 말하는데요.

돈이 많이 풀리면, 돈의 가치가 낮아지겠죠?

지난 수 십년간 부동산 가격이 엄청 높아졌지만,

이는 부동산의 실제 가치가 높아졌다기보다는, 돈이 많이 풀리면서,

화폐의 가치가 하락했기 때문도 크다고 볼 수 있어요.

유정 : 돈을 너무 찍어내면 원화가치가 하락하는것과 비슷한거네요?

기욱 : 네, 맞습니다. 뭐든 흔해지면 가치가 낮아지고,

희소해지면 가치가 높아지잖아요? 돈도 똑같아요.
그동안 통화량이 얼마나 늘어났는지 그래프로 보여드릴께요.

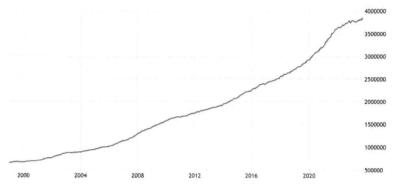

<출처 : ko.tradingeconomics.com> 2024.01.09 기준 M2통화량

기욱 : 1999년 통화량이 대략 600조원, 2023년이 3,900조원이니
지난 25년간 통화량이 무려 650%, 6.5배나 늘어난거에요.

현수 : 우와? 650% 엄청나네요..

25년간 650%가 늘어난 것을 환산하면 연 7.5%에요.

즉 우리나라 원화의 값어치는 매년 7.5%씩 떨어져왔던거에요.

슬기 : 아? 그럼.. 은행에 돈을 계속 넣고 있으면 손해였네요?

기욱 : 맞습니다. 물론 일반 생활물가가 지난 25년간 6.5배나 오르진
않았어요. 왜냐하면 풀린 돈들이 소비가 아닌, 부동산 같은 자산으로
대부분 갔기 때문이에요. 그걸 생각해보면 그동안 집값이 그토록 많
이 오른 이유도 알 수 있죠.

유정 : 아.. 돈이 많이 풀려서 집값이 오른게 컸군요…

기욱 : 통화량이 계속 늘어나는 것은 자본주의의 특성이기도 해요.

꼭 우리뿐 아니라 미국을 비롯한 다른 선진국들도 마찬가지에요.
그래서 우리가 장기적으로는 주식, 부동산 같이 인플레이션을 헷지할
수 있는 자산에 꼭 투자해야하는 절대적인 이유기도 합니다.
힘들게 번 내 돈의 가치를 지키기 위해서에요!

현수 : 이런건 생각도 못했는데.. 머리가 띵해지네요..
기욱 : 다만 통화량이 늘어난다고, 꼭 거기에 딱 맞게 집값이 오르진
않아요. 사람들의 탐욕 때문에, 통화량이 늘어난 것보다 집값이 더
올랐을 가능성도 있어요.

<출처 : 리치고 사이트, 통화량 대비 아파트 시가총액> 2023.10 기준

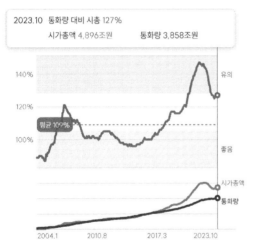

기욱 : 통화량 대비해서 집값이 얼마나 올랐는지 비교할 수 있는 그래프에요.

여기서 아파트 시가총액은 우리나라의 모든 아파트 매매가격을 합친 수치에요.

지난 20여년간 우리나라 아파트 시가총액은 평균적으로 M2통화량의 109% 정도였다는걸
알 수 있죠. 하지만 2023.10 기준으로 이 수치가 127%니까,
20년 평균인 109% 대비해서는 18% 정도 높잖아요?

즉, 시장이 과열되어서 통화량이 늘어난것보다 아파트 가격이 더 많이 올랐음을 알 수 있는거에요.

물론 2022년 고점 대비해서는 많이 내려온 편이지만, 평균대비해서는 아직도 조금 가격이 높은편이라고 유추해볼 수 있는거죠.

슬기 : 아.. 이걸 보니 정말 그렇네요?

기욱 : 그래프상으로 집값이 통화량 대비 낮았을 때는, 2013년에서 2014년 사이인데요, 실제로 최근 10년간 집값의 저점과 일치합니다.

유정 : 정말 너무 유용한 그래프네요!!

<내 집마련 타이밍 체크요소>

1. 미분양주택 해소

2. 전세가격 상승

3. 거래량 증가

4. 세금 및 규제완화

5. 통화량 대비 집값비교

기욱 : 물론 이 밖에도 워낙 다양한 요소들이 집값을 결정하므로 꼭 이 5가지가 절대적이라고 말할수도 없고, 집값 바닥의 저점을 정확히 잡기도 힘들어요. 하지만 이런것들을 기준으로 삼아서 내 집 마련 시기를 저울질 해본다면 분명 도움은 되실꺼에요.

유정 : 네~ 감사합니다.

기욱 : 이렇게 싼 가격으로 집을 사기 위한 싸이클 공부도 중요하지만 내 집 마련에 있어서 그보다 더 중요한게 있어요.

제가 투자이야기 할 때도 중요하다고 말씀드렸는데요
바로 소크라테스의 명언 '너 자신을 알라'에요.
우리 스스로를 먼저 알아야 해요.

유정 : ???

기욱 : 솔직히 이야기하면 실거주 목적의 1주택을 사는건 투자가 아니에요. 내가 살고있는 집값이 오르는건 별 의미가 없어요.
다른 집들은 다 그대로인데, 내 집값만 오르면 모르겠지만
보통은 비슷한 위치나 비슷한 컨디션의 집값은 다같이 오르잖아요?

집값이 올라도, 팔아서 현금을 쥐어야 부자가 되는건데, 집을 팔면,
어딘가에 살 곳이 또 필요하잖아요? 집을 팔고, 컨디션이 비슷한 다른 집으로 이사하려면 결국 그 집값도 같이 올라 있어요.

슬기 : 그것도 그렇네요.

기욱 : 그래서 1주택의 경우, 집값이 오르면, 당장은 자산이 생긴거
같아 기분이 좋을 수 있겠지만, 결국 재산세, 세금만 많이 낼 뿐,
실질적인 이득이 별로 없어요.

물론 집값이 올랐을 때, 살고있는 집을 잘 팔고, 전월세에 살다가
다시 집값이 하락했을 때, 타이밍을 잘 맞춰 집을 사고,
다시 집값이 올랐을 때, 집을 잘 팔고 ㅎㅎ
이런 도박을 잘 할 수 있는 분이라면 모르겠지만.. 이건 일반적인 사람들에게는 가능하지도 않거니와, 내 가족이 마음 편히 행복하게 살
수 있는 '내집마련'의 개념과도 완전히 다르잖아요?

성준 : 맞습니다. 진짜 그건 도박이죠.

기욱 : 내가 살고있는 집값이 많이 올랐을때, 과감히 팔고, 지방의 싼 집으로 옮길 수 있는 분도 다를 수 있을꺼에요. 하지만 보통의 경우에 주거수준을 다운그레이드 한다는게 진짜 쉽지 않아요.

집값이 많이 올라 돈을 많이 벌게 된 선배가 있는데요
이 선배는 수치상으로만 보면 엄청난 자산가지만, 수중에는 현금이 없어요. 매달 생활비에 얘들 학원비에 저축을 전혀 못하는 상황이죠. 그래서 지금 집을 팔고, 그 돈으로 지방 가서 여유롭게 살고싶어 하는데.. 와이프가 말도 못 꺼내게 한다는 거에요.

유정 : 왜요??

기욱 : 집을 팔기는 커녕, 오히려 대출을 더 받아서
지금보다 학군이 좋은 곳으로 이사가야 한다는거죠.

슬기 : 아…

기욱 : 물론 모든 사람이 이 선배같진 않겠지만
대부분의 사람들은 살고있는 집값이 아무리 올라도
더 대출을 받아서, 더 좋은 곳, 상급지로 가려고 하지
인간의 욕심이 다시 뒤로 돌아가긴 힘든 것 같아요.

<실거주 1주택이 투자가 아닌 이유>
1. 집을 팔지 않는 이상, 목돈을 만질 수 없다
2. 내 집값이 오르면 비슷한 수준의 다른 집값도 같이 오른다
3. 주거수준을 낮추기가 쉽지 않다

기욱 : 그래서 장기적으로 나와 내 가족이 안정적으로 살 수 있는
실거주 목적의 1주택, 내집마련은 투자가 아니에요.
그러니 꼭 실거주, 주거로만 접근해야 해요.
실거주 목적으로 집을 살 때는 물론 싸게 사는 것도 중요하지만
그보다 중요한건 내 수준에 맞는 적정한 집을 사는거에요.
즉 분수에 맞는 집을 사는거죠.
소위 모든걸 끌어 땡겨 사는 영끌은 절대 금물입니다.

성준 : 영끌.. 제 주변에 많이 있습니다.
기욱 : 솔직히 영끌을 했다는건, 실거주 목적이 아니에요.
나중에 집값이 오르면 팔아서 이득을 보겠다는 욕심이 있었던거죠.
실거주로만 생각했다면, 무리하게 영끌을 할 필요가 없었겠죠.
집을 사게 되면 대출을 받을 수 밖에 없잖아요?
대출을 받으면 원금과 이자를 같이 갚아야해요.

소득대비 대출원리금을 갚는 비율을 DSR이라 하는데요
금리가 오르면서 평균 DSR이 60%를 넘어간다는 통계가 있어요.
만약 연봉 5천만원이라면, 세후 소득으로 월 350만원 정도인데
DSR 60%는 세전기준이니, 한 달에 대출원리금으로 나가는 돈만
250만원이에요. 그럼 소득에서 대출원리금을 빼면, 한달에 쓸 수 있
는 돈이 고작 100만원인데, 이 돈으로 생활비 쓰고, 자녀도 키우고,
노후준비까지 하기가.. 쉽지 않겠죠..?
유정 : 와.. 대출 갚고 나면 진짜 남는게 없네요..

기욱 : 소크라테스의 '너 자신을 알라' 는 말은 바로 이런거에요.

내 소득이나 자산 대비 적정한 집을 사야 해요.

소위 영끌을 하게 되면 정상적인 생활유지가 힘들어요.

그래서 집을 사기 이전에 꼭 스스로에게 물어보세요.

1. 집을 살 때, 내 자산에서 어느정도의 현금을 투입해야 할까?

2. 월 소득의 어느정도까지 대출원리금을 갚을 수 있을까?

3. 이걸 고려했을때, 내가 감당할 수 있는 집값은 얼마인가?

기욱 : 이것도 예를 들어볼께요.

순자산으로 3억을 모은, 세후소득 월 300만원의 직장인이 있는데

순자산 3억중, 2억만 집을 사는데 쓰기로 했어요.

월소득 300만원에선 30% 이내로 대출원리금을 갚기로 했어요.

그럼 이때 적정한 집값은 얼마일까요?

유정 : 글쎄요. 어떻게 계산해야 할까요?

기욱 : 소득 300만원의 30%면 월 90만원, 매월 대출원리금을 갚는

한도가 90만원 정도라면, 연 4%, 30년상환 기준으로 빌릴 수 있는

금액은 대략 2억원이에요. 네이버 대출계산기를 활용하면 편합니다.

2억원을 30년동안
4% 원리금균등상환으로 대출 받았을 때
매월 **95만 4,831원**을 갚아야합니다.

기욱 : 그럼 대출금 2억 + 자산 2억 = 4억

내 자산 및 소득 대비 적정한 집값이 4억이란 뜻이에요.

총자산	3억원	투입액	2억원
세후소득	300만원		
대출금액	2억원	연4%, 30년상환	
원리금상환	월 95만원	소득의 약 30%	
적정가격	4억원	자산2억+대출2억	

슬기 : 아~ 이런식으로 계산해볼 수 있군요?

기욱 : 물론 이건 이해를 돕기 위한 예시일뿐, 정답은 아니에요.

자산이나 소득 등 재무상황에 따라 다를 수 있고요

무엇보다 인생에서 주거의 가치가 얼마나 크냐에 따라 달라져요.

저 같은 경우엔 안정된 주거도 중요하지만,

자유롭게 하고 싶은걸 할 수 있는 경제적자유가 훨씬 중요하거든요.

집에 돈이 너무 많이 묶여 있으면, 투자할 돈이 줄어들잖아요?

결국 경제적자유를 이루기 쉽지 않겠죠?

그래서 저는 부동산자산이 전체자산의 20%를 넘지 않도록 할 예정

이에요. 물론 제가 집에 대한 욕심이 없는 성향이라 그렇긴 해요.

저와 달리 인생에서 안정된 주거의 가치가 큰 분이라면,

자산과 소득 대비 조금 과한 집을 얻어도 되겠죠?

주거에 대한 가치가 어느정도인지 스스로에게 먼저 물어봐야 해요.

유정 : 역시 스스로를 아는게 가장 중요하군요.

기욱 : 네, 하지만 안정된 주거의 가치가 아무리 중요하다 해도

내가 평생 모은 돈의 100%를 다 올인하고, 부모님 도움에,
퇴직연금, 연금저축 등 노후자금까지 다 깨서 쓰고,
소득 대비 너무 무리한 대출을 받는건 분명 주의해야 해요.
인생에서 돈을 모으는 이유가 꼭 '내집마련' 뿐인건 아니잖아요?
결혼하고, 자녀도 키우고, 사업을 하거나, 여행도 가야하고,
무엇보다 기나긴 노후에 대한 준비도 필요하죠.
집 하나에 모든걸 올인한다면 다른 것들을 준비하기 힘들겠죠?
유정 : 맞아요. 집 한 채에 모든걸 다 올인하는건 너무 우울해요.

기욱 : 소득대비 대출금을 갚는 비율인 DSR의 한도가 40%거든요.
하지만 이 40% 비율도 조금 과한 것 같아요.
아까 예로 들었듯 연봉 5천만원도 실수령액은 350만원 정도인데,
DSR 40%면 매월 대출원리금만 166만원씩 갚아야해요.
그럼 실제로 쓸 수 있는 돈은 월 183만원.

연봉 5천만원인데, 매월 180만원으로 결혼하고, 아이도 낳고,
노후준비까지 해야 하는데 보통 30년 대출을 받으니까,
40살에 집을 사면 70살까지 대출금을 갚아야 하잖아요?
유정 : 헐, 70살..
기욱 : 게다가 주거비용에는 꼭 대출원리금만 있는게 아니에요.
관리비, 가스, 전기요금 등의 공과금과 세금, 유지보수비용 등
다른 주거비용도 모두 포함해야 하거든요.
이런것까지 감안하면 DSR 40%도 적다고 할 순 없죠.

물론 그럼에도 나는 주거에 대한 가치가 너무 소중하다면
그냥 다 감수하고 가지고 있는 자산 올인하고, 풀대출 받으면 되요.
인생에 정답이 어디 있겠어요?
다만 우리나라 사람들은 주거에 대한 욕심이 조금 큰 편인것 같아요.
대부분 사람들이 수도권의 번듯한 아파트에 살기를 원하죠.
여기에는 다른 사람들의 시선에 너무 민감한 까닭도 큰 것 같아요.

"나 이런 브랜드 아파트에 살아~"

"결혼하면 그래도 아파트 한 채는 마련해야지~"

"친구들 다 집 샀는데, 나만 전세 살 순 없어! 쪽팔려서 안돼!"

"빌라 사는 아이들이랑 친구하지마.." =_=

성준 : 맞습니다. 이런 경향이 너무 강한 것 같아요.

기욱 : 남들의 시선에 너무 신경쓰면 불행해져요.
결국 수 십년간 대출금을 갚아야 하는건 남이 아닌 바로 나 자신이
거든요. 내가 감당할 수 있는 집을 사야 해요.
부자처럼 보이는게 아니라 정말 부자가 되는게 중요하잖아요?
유정 : 맞아요! 진짜 부자가 되기!

기욱 : 우리나라의 인구구조에 대한 이야기도 했었는데요.
인구구조가 집값에 영향을 끼치지 않는다는 분도 많은것 같아요.
하지만 인구는 장기적으로 아주 천천히 영향을 끼치기 때문에 못 느
끼는 것이지, 당연히 집값에 큰 영향을 끼칠 수 밖에 없어요.

지금 당장은 우리나라 인구가 비교적 젊고 우량한 편에 속하지만
가장 인구층이 두터운 1955~1975년생이 모두 은퇴하게 되는,
2035년 정도부터는 본격적으로 인구충격이 올꺼에요.
지금의 금리인상처럼 단기적인 요인이 아니고, 수십년간 부동산시장
에 누적해서 악영향을 끼치게 되거든요.

현수 : 이런 인구구조에서 집값이 버틸 수 있을까요?
기욱 : 일본처럼 장기적으로 집값이 우하향한다는 분도 있고
서울과 수도권의 집값은 계속 오를꺼라는 분도 있어요.
어느쪽이든, 집 한 채 마련하면 자산증식부터 노후준비까지 한번에
할 수 있었던 부모님 세대와는 많이 다를꺼에요..

성준 : 네, 그건 맞는것 같습니다.
슬기 : 장기적으로 보면 너무 암울할 것 같아요.
하지만 결혼하고 아이를 낳게 되면 내 집이 필요할텐데..
기욱 : 그래서 더 더욱 내집마련을 할 때, 내 자산과 소득 대비해서
감당할 수 있는 집을 사는게 중요해요.

저는 일본처럼 수십년간 집값이 계속 하락하는 극단적인 사태는
생기지 않는다고 보지만, 설령 그런 최악의 사태가 벌어진다해도
내가 충분히 감당할 수 있는 집이면 버틸 수 있어요.
만약 다른 곳으로 이사 갈 일이 생긴다해도, 어차피 그 이사갈 집값
도 같이 떨어져 있을꺼 아니에요?

슬기 : 아, 생각해보니 그것도 그렇네요.

기욱 : 순수하게 내 가족이 살 수 있는 실거주 목적이라면
오히려 집값이 다같이 떨어지는게 더 나을 수도 있어요.
집값이 떨어진만큼 세금도 더 적게 내겠죠? ㅎㅎ

유정 : 집을 사면 세금을 많이 내야 하나요?
기욱 : 집 관련된 세금은 보통 취득세, 보유세, 양도세, 3가지에요.
1) 집을 처음 살 때, 취득세를 내고
2) 집을 가지고 있을 때, 보유세를 내고
3) 집을 팔 때, 이익에 대해서 양도세를 내요.

기욱 : 여기서 취득세와 양도세는 각각 한 번만 내면 되지만
보유세는 집을 가지고 있는 동안 매년 내야 하는 세금이에요.
보유세가 집 가격에 연동되기 때문에, 집값이 오르면 그만큼 세금을
더 많이 내야하죠.
유정 : 아, 집을 가지고 있다는 것만으로도 세금을 내야 하는군요.

기욱 : 고령화와 국민연금, 건강보험 등의 재정악화로 인해서
결국 세금을 지금보다 더 많이 걷을 수 밖에 없잖아요?
주택관련 세금 중에는 보유세를 가장 많이 올릴 가능성이 커요.
내 능력 대비 너무 과한 주택을 가지고 있으면 미래에 세금부담이
커질수도 있다는거에요.
성준 : 아.. 세금.. 그런 문제도 있겠군요.

기욱 : 너무 비싼 고가의 주택을 가지고 있으면
지금도 건강보험이나 기초연금에서 불이익을 받고 있거든요?
고가의 주택 때문에 건강보험료를 더 많이 내거나,
기초연금을 받지 못하기도하죠.
이런 것들이 장기적으로는 더 확대되고 강화될꺼에요.

슬기 : 아.. 비싼 집이 있다고 마냥 좋아할 일은 아니군요.
기욱 : 네, 게다가 미래에는 인구가 계속 줄어들기에,
재건축이나 재개발이 갈수록 어려워질꺼에요.
이미 수도권에서조차 노후 아파트가 문제되고 있거든요.
오래된 주택을 관리, 보수하는데도 더 많은 비용을 부담해야겠죠?

이처럼 내집마련은 지금 당장의 집값도 중요하겠지만
세금, 건강보험이나 연금 등에서의 불이익, 노후 주택의 유지, 관리
보수비용 등 '지금의 주택을 장기적으로 유지할 수 있는가?'
에 대한 고민도 필요할 것 같습니다.
유정 : 장기적인 주택 유지비용 고려하기! 메모메모

< 3줄요약>
1. 내 자산과 소득 대비 '적정한' 집 찾기
2. 싸이클을 공부해서 최대한 가격이 '쌀 때' 사기
3. 장기적으로 유지할 수 있는지에 대한 고민도 필요

기욱 : 사실 우리가 돈을 모으는 이유인 재무목표중에서

가장 큰 목표가 '내집마련'과 '노후자금'이에요.

인생에서 가장 큰 목돈이 들어가는 이벤트들이죠.

슬기 : 맞아요. 그 두개가 가장 크죠.

기욱 : 내집마련은 물론 중요하지만 너무 무리하게 영끌하지 말라고

말씀드렸는데요, 가장 큰 이유가 바로 노후자금 때문이에요.

유정 : 노후자금요?

기욱 : 네, 내집마련을 할 때, 그동안 모아온 노후자금을 깨는 경우가

많아요. 퇴직연금, IRP, 연금저축, 연금보험 등 여지껏 모아온 대부분

의 저축과 보험, 투자를 다 깨고 내집마련에 쏟아 붓죠.

성준 : 맞습니다. 사실.. 그럴 수 밖에 없는 환경이기도 하고요.

기욱 : 저희 부모님 세대는 젊은 시절 내 집마련을 하게 되면

집값이 계속 올라, 집 한 채로 노후준비까지 할 수 있는 경우가 많았

지만 지금 2030세대는 당연히 그게 쉽지 않아요.

내집마련과 노후자금 준비는 반드시 따로 해야 합니다.

그런 의미에서 노후자금을 준비해야하는 필요성과

어떻게 하면 현명하게 은퇴준비를 할 수 있는지?

마지막으로 경제적자유에 대한 이야기까지 함께 나눠볼게요.

유정 : 오! 네~ 좋아요!

슬기 : 저도 너무 궁금했어요!

제16장 : 은퇴준비와 경제적자유

기욱 : 은퇴준비를 꼭 해야하는 필요성은
아래의 표를 보면 한번에 이해할 수 있을꺼에요.

과거	교육20년	노동40년	노후

이건 과거의 라이프싸이클이에요.
태어나서 20년 교육받고, 60세까지 일하다가 얼마안되서 죽었거든요.
특별히 노후준비가 필요 없었죠. 하지만 이제 세상이 변했어요.

현재	교육30년	노동30년	노후40년↑

현재의 라이프싸이클이에요.
다들 대학에 가고, 취업준비하느라 교육기간이 길어졌어요.
그만큼 일할 수 있는 기간은 예전보다 짧아졌죠.
반면 수명은 과거와 달리 더 늘어났잖아요?

현재 평균수명이 83세지만, 계속 의학기술이 발전하니까..
여기 계신분들은 아마 100살 넘게 살 수 있을지도 몰라요.
슬기 : 으.. 좀 징그러운데요..
유정 : 그럼 노후기간이 더 길어지겠네요..?

과거	교육20년	노동40년	노후
현재	교육30년	노동30년	노후40년↑

기욱 : 네, 결국 일할 수 있는 기간은 더 짧아졌는데
오히려 노후기간은 예전보다 늘어났죠. 여기서 오는 미스매치가 우리
가 노후자금을 잘 준비해야 하는 가장 큰 이유에요.

현수 : 와, 이렇게 보니까 한눈에 이해가 가네요.

슬기 : 진짜 오래 사는게 축복이 아닐 수도 있겠어요..

기욱 : 그렇죠. 또 예전과 많이 달라진게 있는데요.
내 노후생활을 자녀에게 책임지라고 할 수 없는 상황이에요.

성준 : 자녀에게.. 그렇죠..

기욱 : 부모님 세대는 형제, 자매들이 많았잖아요?
저희 아버님이 8남매, 어머님이 5남매셨거든요.
5남매라고해도 인당 20만원씩만 걷으면 100만원이에요.
n분의1하면 부모님 노후를 부양한다해도 부담이 별로 없었어요.

유정 : 오, 그렇네요 진짜?

기욱 : 하지만 저희 세대만 해도 자녀가 1명 아니면 2명이고
심지어 비혼이나 아이를 낳지 않는 딩크족까지 있잖아요?
자녀한테 내 노후를 책임지라고 해도, 불가능한 시대가 올꺼에요.

현수 : 제 몸 건사하기도 힘든데.. 부모님 노후까지 책임지라고 하면..

슬기 : 저도 자녀에게 제 노후를 책임지라고 부담주고 싶진 않아요.

기욱 : 그러니 꼭 우리 스스로 노후를 준비해야 합니다!

유정 : 네, 맞아요 스스로 노후 준비하기!

기욱 : 마지막으로 사회보장 제도 문제인데요.
급속한 고령화와 인구구조로 인해서, 국민연금, 건강보험, 기초연금
등 사회보장 제도 또한 부실화될 가능성이 커요.

현수 : 맞아요. 국민연금 저희는 받을 수 있을지..

기욱 : 재원이 고갈되더라도 아예 한 푼도 안 주는 일은 일어나지 않
을꺼에요. 세금을 걸어서라도 주긴 줄꺼에요.
다만 지금보다는 굉장히 부실한 금액을 받을 확률이 높겠죠?
그러니 국가만 믿으면 안되고, 반드시 스스로 준비해야해요.

일동 : 네~

<노후준비가 중요한 이유>
1. 일하는 기간은 짧아졌는데, 오히려 수명은 길어졌다
2. 자녀에게 내 노후를 책임지라고 할 수 없다
3. 국민연금, 건강보험 등 사회보장 제도의 부실화

기욱 : 노후자금을 준비해야하는 필요성에 대해서는 공감하겠지만
막상 준비하려고 하면 대체 얼마를? 어떻게 준비해야좋을지?
막막한 분들이 대부분일꺼에요.

유정 : 맞아요. 너무 먼 미래의 일이라 감이 안와요.

슬기 : 얼마를 모아야하는지? 계산하기가 힘든것 같아요.

기욱 : 제가 이해하기 쉽게 필요한 노후자금을 계산해볼게요.

정확히 계산하려면 물가상승률부터 은퇴한 이후의 투자수익률,

나이가 들어감에 따라 점차 소비가 줄어들다가, 75세 이후에는 의료

비가 증가하는 것까지 디테일하게 계산해야 하지만..

이렇게 하면 너무 복잡해지니, 그냥 심플하게 해볼게요.

유정 : 네! 심플한게 좋아요!

기욱 : 딱 60세에 은퇴해서 100세까지 산다고 가정하면 40년이죠?

필요한 월 생활비를 250만원으로 잡아볼게요.

그럼 심플하게 250만원 x 40년 = 12억. 필요한 은퇴자금이에요.

유정 : 헉.. 12억이요?

기욱 : 너무 놀라진 마세요. 유정님은 60살까지 아직 35년이라는 시

간이 남아있잖아요? 30살이라 해도, 30년의 시간이 남아있죠?

만약 30년동안 12억을 모으려면 연 8% 투자수익 기준으로

매월 80만원을 노후자금으로 투자하면 됩니다. 12억을 한 번에 준비

하는 것보다는 매월 80만원씩 투자하는게 조금 더 현실적이죠?

유정 : 오, 그렇긴해요. 그래도 매월 80만원.. 너무 부담되요..

현수 : 맞아요. 저는 80만원 저축도 힘든데..

기욱 : 맞습니다. 노후자금으로 월 80만원씩 투자할 수 있는 분은 많

지 않아요. 하지만 이건 국민연금을 전혀 계산하지 않은거잖아요?

유정 : 아? 국민연금요?

기욱 : 물론 국민연금이 미래에 고갈된다는건 분명한 사실이지만
그래도 약속한 돈을 아예 나몰라라 안주진 않을꺼에요.
세금을 걷어서라도 주긴 줄꺼에요. 물론 금액은 많이 줄어들겠지만..
국민연금 어플에 들어가서 각자 인증하고 로그인 하면
미래에 국민연금을 얼마나 받을 수 있는지 알 수 있어요.

저 같은 경우는 현재 물가기준 150만원 정도 받는걸로 나오는데요.
이걸 100% 믿기는 힘들죠. 그래서 보수적으로 절반만 나온다고 가
정해볼게요. 150만원이 아닌, 80만원만 나온다고 가정하면
필요한 생활비는 250만원에서 국민연금 80만원을 뺀 170만원이 되
겠죠? 그럼 매월 170만원 x 40년 = 약 8억원.
30년간 8억을 모으려면 연 8% 기준, 매월 투자금액은 54만원.

유정 : 오, 그래도 많이 줄어들었네요?
기욱 : 매월 54만원은 그래도 비교적 현실적이죠?
현수 : 네, 그래도.. 부담되긴 해요.
기욱 : 제가 여기서 은퇴준비 할 때 가장 중요한 점을 알려드릴게요.
흔히 은퇴준비하면, 생활비가 얼마나 필요한지?
은퇴자금은 얼마나 모아야 하는지? 돈에 관련된것만 생각하는데요.
은퇴후 남아도는 엄청난 시간에 무얼할지에 대한 고민도 필요해요.
유정 : 무얼할건지요?
기욱 : 네, 40년이면 결코 짧은 시간이 아니에요.
우리가 평생 일하는 것보다도 더 긴 시간이잖아요?

이 시간에 아무것도 안 하고 빈둥거리며 노는 것도 힘들어요.

노는 것도 하루이틀이지, 한 달만 지나면 아마 견디기 힘들꺼에요.

슬기 : 음, 생각해보니 그것도 그럴 것 같아요.

기욱 : 그래서 지금부터 은퇴한 이후에 무엇을 할 것인지에 대한 고민과 준비가 필요해요. 요즘 60~70대는 우리가 생각하는 그냥 노인이 아니에요. 굉장히 활동적이고 에너지가 넘치거든요.

근데 60살 됐다고 아무 일도 안하고 집에서 놀수만은 없겠죠?

성준 : 맞습니다. 요즘 60대는 노인도 아니라고 하더라고요.

기욱 : 그래서 60세 이후에는, 돈을 많이 벌고를 떠나서

내가 좋아하는 소일거리나 작은사업, 부업 등을 할 수 있으면 좋아요. 의미있고, 소소한 보람을 느낄 수 있는 그런 일을 찾는거죠.

어쩌면 이런 고민들이 돈 문제보다 훨씬 중요할 수도 있어요.

유정 : 오, 진짜 그럴 것 같아요.

기욱 : 게다가 이런것들이 실제로 돈 문제에도 도움을 줄 수 있어요.

만약 은퇴한 후에 내가 좋아하는 소일거리나 작은 사업을 하면서

매월 50만원이라도 돈을 벌 수 있으면 어떻게 될까요?

그럼 필요한 생활비는 국민연금액을 뺀 170만원에서,

부업으로 인한 소득 50만원을 뺀 120만원으로 줄어들죠?

그럼 은퇴자금으로 모아야 하는 금액도 월120만원 x 40년 = 5.7억

매월 모아야할 투자금액도 38만원으로 줄어들어요.

유정 : 와~ 38만원! 많이 줄었네요!

기욱 : 만약 매월 38만원씩 노후를 위해 투자하는 것조차도
부담된다면 마지막 방법이 하나 있어요.

현수 : 마지막 방법요?

기욱 : 네, 바로 욕심을 버리는거에요.
솔직히 은퇴한후 250만원 생활비는 조금 넉넉하게 잡은거에요.
아무래도 나이가 들고, 은퇴하게 되면 씀씀이가 줄어들죠.

슬기 : 그건 그래요. 나이 들어서 그렇게 돈이 필요할까 싶기도해요.

기욱 : 욕심을 버리고 절약해서 한 달에 40만원씩 생활비를 줄일 수
있으면, 필요한 은퇴자금은 월80만원 x 40년 = 3.8억원,
매월 모아야할 투자금액도 25만원으로 줄어들죠.

구분	생활비	은퇴자금	월투자금액
생활비	250만	12억	80만원
국민연금	-80만	8.1억	54만원
부업	-50만	5.7억	38만원
절약	-40만	3.8억	25만원

기욱 : 그래도 매월 25만원 정도는 준비할 수 있겠죠?

유정 : 와 진짜 이렇게 보니까 굉장히 현실적이네요.

현수 : 그저 막막했는데 조금 눈이 트이는 것 같아요.

슬기 : 마음이 조금 편해지네요.

기욱 : 보통 급여에서 국민연금이 9%씩 적립되거든요.
개인이 4.5%, 회사에서 나머지 절반 4.5%를 내주죠.

만약 퇴직연금이 있다면 월급의 8.3%를 퇴직계좌에 적립해줘요.

즉 국민연금 9%, 퇴직연금 8.3%, 이 두개만으로도 소득의 17.3%가

자동으로 노후준비로 모아지는거에요.

만약 월소득 300만원인 직장인이라면 퇴직연금만으로도,

매월 25만원(소득의 8.3%)을 노후자금으로 모으는거잖아요?

슬기 : 그럼 퇴직연금만으로도 어느정도 노후준비가 되는거네요?

기욱 : 그렇죠. 만약 회사에 퇴직연금이 없는 분들도,

나중에 퇴직할때 받는 퇴직금을 IRP계좌에 넣어서

퇴직연금과 똑같이 노후자금으로 투자할 수 있어요.

유정 : 아~ 일반 퇴직금도 IRP계좌에 넣을 수 있군요?

기욱 : 네, 물론 중간에 퇴직금을 찾아 쓰지 않고,

정말로 노후자금으로 투자했을 때 이야기에요.

그리고 연 8% 투자수익 기준이니, 1~2% 수익으로 방치하지 말고

퇴직금, IRP계좌를 잘 관리하는 것도 중요하겠죠?

현수 : 네, 저도 빨리 퇴직연금 계좌를 확인해봐야겠어요.

구분	생활비	은퇴자금	월투자금액
생활비	250만	12억	80만원
국민연금	-80만	8.1억	54만원
부업	-50만	5.7억	38만원
절약	-40만	3.8억	25만원

기욱 : 물론 이 예시는 물가상승률을 디테일하게 계산하지 않았고
연 8%씩 꾸준히 투자수익을 잘 냈을 때의 기준이긴 해요.
게다가 노후에 부업을 하거나, 절약하는게 쉽지 않을수도 있겠죠?

그러니 꼭 국민연금, 퇴직연금 이외에도, 연금저축 계좌를 통해서
최소한 소득의 10% 정도는 꾸준히 노후자금을 위해 투자하길 권해
드립니다. 그럼 국민연금, 퇴직연금, 연금저축을 합쳐서 소득의 30%
정도를 노후자금으로 준비하게 되는거에요.

국민연금과 퇴직금은 회사에서 자동으로 넣어주는거니까
실질적으로 내가 준비하는 돈은 소득의 딱 10%.
노후를 위해서 이 정도는 준비할 수 있겠죠?
유정 : 네~ 국민연금, 퇴직연금은 자동으로 하면서
개인적으로 소득의 10% 추가로 투자하기!

< 은퇴준비, 3줄요약>
1. 은퇴한 후 무얼할것인지에 대한 준비. 좋아하는 일, 작은사업 등
2. 욕심을 버리고 생활비를 줄일 수 있는 마음가짐도 필요.
3. 국민연금, 퇴직연금 이외에 소득의 10% 추가로 투자하기

기욱 : 혹시 '파이어족' 이라고 들어보셨나요?
슬기 : 네~ 저도 파이어족을 꿈꾸고 있어요.
유정 : 파이어족이 뭔가요?

기욱 : 파이어족은 Financial Independence Retire Early의 약자로
빨리 은퇴해서, 경제적자유를 계획하는 사람들을 뜻해요.
유정 : 오, 경제적자유! 그럼 저도 파이어족 할래요!
기욱 : ㅎㅎ 경제적자유, 이름만 들어도 가슴이 설레는 말이죠.
얼마를 모으면 경제적자유가 가능한지, 쉽게 계산해볼 수 있는 방법
이 있어요. 흔히 25배의 법칙이라고 하는데요.
유정 : 25배의 법칙요??

기욱 : 네, 필요한 연생활비 곱하기 25배를 하면,
경제적자유를 이룰 수 있는 은퇴자금 규모가 나와요.
예를 들어 은퇴후 필요한 월생활비가 250만원이라고 가정하면
1년으로 보면, 250만원 x 12개월 = 3천만원이죠?
유정 : 네, 맞아요.
기욱 : 그럼 여기에 25배를 곱해주면 되요.
1년생활비 3천만원 x 25배 = 7.5억원.

유정 : 저 돈을 모으면 경제적자유를 이룰 수 있는거에요?
기욱 : 네, 물론 이 돈을 그냥 은행에 넣어두면 불가능하겠죠.
7.5억을 주식, 채권, 부동산 등의 자산에 잘 배분해서
연 4%의 수준의 배당, 이자, 임대수익을 받는다고 가정하면
7.5억의 4% 수익이 딱 3천만원, 월 250만원이거든요.
현수 : 아~ 그래서 25배를 곱하는거군요.
기욱 : 네, 만약 꾸준히 연 4% 정도의 수익을 낼 수 있다면

투자원금은 줄어들지 않고, 나는 죽을 때까지 월 250만원 수준의 투자소득을 얻을 수 있겠죠? 이게 25배 법칙이에요.

유정 : 아, 연생활비 x 25배. 간단하네요?

기욱 : 하지만 현실적으로 이게 쉽지는 않아요. 돈을 모으기도 쉽지 않고, 여기에서 집값은 제외해야 하기 때문이에요.

유정 : 집값을요?

기욱 : 네, 내가 살고있는 집은 이자나, 배당, 임대료가 나오지 않잖아요. 그냥 주거로 깔고 앉아있는 돈이기 때문에 소득이 생기지 않아요. 그래서 실거주 집값을 뺀 금액으로 계산해야 해요.

슬기 : 아, 그렇네요 진짜..

기욱 : 2022년 기준으로 우리나라 순자산 상위 10% 커트라인이 대략 10억인데요. 여기서도 70~80%는 살고 있는 집값일꺼에요. 그러니 집값을 빼고도 7~8억을 모을 수 있는 파이어족은 대한민국 상위 5% 이내? 사실상 쉽지 않겠죠..

유정 : 그렇네요…

기욱 : 그래서 파이어족이 되어 경제적자유를 누리고 싶다면, 일단 첫 번째로 주거에 대한 욕심을 버려야해요. 열심히 일하고, 투자해서 10억을 모은 사람이 있다 해도, 주거에 대한 욕심이 커서, 꼭 10억짜리 집에서 살아야한다면 경제적자유와 파이어족은 요원하겠죠?

반면 주거에 대한 욕심이 별로 크지 않아서,

2~3억대의 조그만 외각주택에 살면서 나머지 돈으로 투자하여

배당, 임대료를 받는다면 어느정도의 경제적자유를 이룰 수 있겠죠?

유정 : 아~ 살고 있는 집에 따라 달라지는군요?

기욱 : 네, 이처럼 주거와 경제적자유는 상반된 개념이에요.

값비싼 집에 살면서, 경제적자유를 이루는건 쉽지 않습니다.

슬기 : 세상에 정말 공짜는 없네요.

기욱 : 경제적자유를 위한 두 번째 팁을 드리자면

아까 은퇴자금 준비와 비슷한데요. 어느정도의 할 일이 필요해요.

경제적자유를 이뤘다고, 그 날부터 아무 일도 안하고 백수처럼 빈둥거리면서 살 순 없어요. 만약 40살에 은퇴하면, 100살까지 남은 시간이 60년인데.. 백수처럼 아무 일도 하지 않는다면.. 회사생활보다 오히려 그게 더 지옥일 수도 있어요.

유정 : 아.. 60년.. 백수..

기욱 : 아마 경제적자유를 이뤘다고 해도 전혀 일을 하지 않으면 마음이 불안할꺼에요. 투자라는게 매년 칼같이 4%씩 수익을 낼 수 있는게 아니거든요? 자산가격은 오르락 내리락 변동성이 크잖아요? 만약 4% 수익을 내지 못했거나, 경제위기나 시장에 충격이 와서 자산가격이 하락하면 심리적으로 매우 불안해지겠죠?

슬기 : 그것도 그럴 것 같아요.

기욱 : 실제로 2021년까지 자산가격의 폭등으로 회사를 그만두고, 경제적자유를 이룬 분들이, 2022년 금리인상과 자산가격의 하락 때문에 다시 회사로 돌아간 케이스가 많아요.

유정 : 앗.. 다시 회사로..

기욱 : 그래서 경제적자유를 이룬 후에도 어느 정도의 일은 필요해요. 다만 내가 하기 싫은 일을 돈 때문에 억지로 하는게 아니라 적당히 하루에 4~5시간씩, 알바나 작은 사업 같은걸 하는거죠.

유정 : 은퇴준비와 비슷하네요?

기욱 : 네 맞습니다.

만약 하루에 4~5시간씩만 일해서 한 달에 100만원만 번다 해도 필요한 생활비는 250만원에서 150만원으로 줄어들잖아요?

그럼 150만원 x 12개월 x 25배 = 4억5천만원.

슬기 : 4억대는 그래도 조금 현실성이 있네요.

기욱 : 외국에서는 일명 바리스타형 파이어족이라고도 불러요. 실제로 스타벅스 같은 카페에서 하루에 4~5시간씩 일하며 근로소득+투자소득으로 경제적자유를 누리는 분들이 꽤 있어요. 적당한 일은 대인관계나 정신건강 측면에서도 도움이 되고 몸을 부지런히 움직이는 일은 건강에도 도움이 되겠죠? 물론 가장 좋은 것은 단순한 허드렛 일이 아니라, 내가 좋아하는 일을 하면서, 적당히 돈도 벌 수 있는 무언가를 은퇴하기 전부터 미리 준비하는거에요.

슬기 : 그러게요. 그게 가장 좋을것 같아요.

기욱 : 그리고 경제적자유에 관한 마지막, 세번째 팁은
어찌보면 가장 중요할 수도 있는데요.
파이어족은 자신만의 행복에 대한 철학이 있어야해요.
유정 : 철학이요?
기욱 : 네, 대부분 사람들은 파이어족, 경제적자유 하면
좋은 집, 좋은 차, 명품, 폼나는 해외여행 등
즐길꺼 다 즐기는, 화려하고 호화로운 삶을 상상하는데요
이런 파이어족은 정말 상위 1~2%가 아니면 불가능해요.

제가 생각하는 현실적인 파이어족은,
힘겹게 돈을 아끼고 모으고 투자해서, 남들보다 빨리 은퇴하는 대신
자신만의 소소한 행복과 자유를 추구하며
절약하고, 아끼고, 소박하게 사는 사람들이라고 생각해요.
유정 : 아..

기욱 : 돈이 아닌 다른 곳에서 행복을 찾는거에요.
저 같은 경우도 독서, 산책, 글쓰기, 팟캐스트 이런 것들이 취미인데,
이런 취미를 즐기는데는 돈이 거의 들어가지 않잖아요?
만약 욕심을 조금 버리고, 생활비를 50만원 더 줄일 수 있으면..
필요한 은퇴자금은 3억원으로 줄어들어요.
그래도 3억은 굉장히 현실적인 금액이죠?
슬기 : 진짜 그렇네요.
듣고보니 제가 생각한 파이어족과 조금 개념이 다른것 같아요.

기욱 : ㅎㅎ 우스갯소리로 최고의 파이어족은
'무소유' 책을 쓰셨던 법정스님이라는 말도 있어요.
단 돈 0원으로 경제적자유를 누리셨으니까요.
현수 : ㅎㅎ 그것도 그렇네요.
기욱 : 사실 파이어족은 좋은 것도, 나쁜 것도 아니에요.
그저 수많은 라이프 스타일 중에 하나일 뿐이에요.
가장 중요한 건 '나는 어떤 삶에서 행복을 느끼는 인간인가?'

파이어족이나 경제적자유를 통해서 행복을 느끼는 분도 있고
반대로 업무적으로 성공하고, 인정받고, 커리어를 쌓아가면서
성취감과 행복을 느끼는 분도 있는거에요.
가장 중요한 건 역시 '너 자신을 알라' 입니다

유정 : 아.. 역시 스스로를 아는게 가장 중요하군요!
기욱 : 꼭 투자나 돈관리 뿐 아니라 우리 인생에서도
가장 중요한 말이 아닐까 싶습니다.
우리 스스로를 알아야 행복할 수 있어요.

<경제적자유, 3줄요약>
1. 25배의 법칙 활용하여 필요한 은퇴자금 계산
2. 은퇴한 후 적은 수입이라도 일할거리가 필요하다
3. 욕심을 줄이고, 행복에 대한 자신만의 철학이 필요함

제 17장 : 요약정리 및 복리의 마법

<1. 100억 부자의 조언>
기욱 : 처음에 이야기했던 2030세대 재테크의 핵심 기억나시죠?
유정 : 네~ 일단 본업에서 성공하는게 제일 중요하고
현수 : 최대한 절약해서, 시드머니를 빨리 모으는 것도 중요해요.
라고 100억 부자가 이야기했죠. ㅎㅎ

유정 : 매월 200만원씩 저축하는거랑, 한 달에 5만원씩 절약하는거
비교도 인상적이었어요. 역시 지출관리를 잘 해야 시드머니를 빨리
모을 수 있을 것 같아요.
기욱 : 맞습니다. 특히 20대~30대, 혹은 결혼해서 아이를 낳기 전까
지 바짝 모은 시드머니는 평생의 부를 좌우할만큼 중요합니다!
슬기 : 그리고 나이가 들수록, 자본소득도 중요해지기 때문에,
지금부터 투자에 관심을 가지고, 경험을 쌓아야해요.

<3줄요약>
1. 본업에서 성공하는게 가장 중요
2. 아끼고 아껴서 최대한 빨리 시드머니 모으기
3. 돈 관리와 투자에 일단 관심 가지기

<2. 지출관리와 저축목표>

기욱 : 지출을 잘 관리하는 방법도 기억나시죠?

유정 : 네, 저축할 돈부터 먼저 빼놓고, 남은 돈으로만 생활하기!

현수 : 쓸돈을 미리 계획해보는 것도 중요해요. 예산세우기.

슬기 : 가끔씩 목돈이 나가는 '계절성지출'을 따로 구분해서
예산을 세워야 하는것도 기억나요.

현수 : 생활비통장에 돈을 넣고, 그 안에서만 생활하기!
신용카드보다는 체크카드 사용하기!
지출관리가 안되는 저에게 딱 필요한 얘기였습니다.

월저축액	130만원
3년후금액	4,680만
추가저축	320만원
저축목표	5,000만원

유정 : 3년후 5천만원 모으기 같은,
구체적인 저축목표를 정하는 것도 정말 중요한 것 같아요!

기욱 : 맞습니다. 목표가 있어야 의지도 생기는 법이죠!

<3줄요약>

1. 선저축, 후지출

2. 지출예산 세우기 (계절성지출 구분)

3. 구체적인 저축목표 정하기!

<3. 부자가 되는걸 막는 3대악>
기욱 : 지출 3대악도 기억나시죠?
유정 : 네~ 일단 주거비용 아끼기.
전 시드머니 모으기 전까지는 독립 안할꺼에요. ㅎㅎ

<주거비 줄이는 팁>
1. 독립을 최대한 미룬다
2. '내집다오' 어플 활용 (임대주택)
3. 중기청 및 버팀목전세대출 활용
4. 월세, 전세, 자가 주거비용 정확히 비교
5. 형제/자매, 친구와 같이 살기, 쉐어하우스

현수 : 저도 당분간 차를 사지 않으려고요.
성준 : 알뜰폰 사용하기도 기억납니다. 저도 곧 바꾸겠습니다.
슬기 : 남들에게 부자처럼 보이는게 아니라,
진짜 부자가 되라는 말도 인상깊었어요.
기욱 : 맞습니다. 지출을 잘 관리하고, 시드머니를 모아서
진짜 부자가 되어 보아요!

<3줄요약>
1. 주거비용, 자동차, 통신비 꼭 체크하자!
2. 남들 시선 신경쓰지말고 소신껏 살기!
3. 부자처럼 보이는게 아니라 진짜 부자가 되자!

<4. 보험은 비용, 줄이자!>
기욱 : 보험료 줄이는 방법도 기억나시죠?
유정 : 네, 보험은 비용, 소득의 5% 미만으로 과하지 않게 하기!
슬기 : 말 그대로 없어져도 아깝지 않을 돈으로 준비하기.
자동차보험 같이 소멸성으로 해야지, 저축형은 피하기.

성준 : 종신보험처럼.. 저에게 불필요한 보험을 해지했을 때,
기회비용을 계산했던 것도 기억납니다. 장기적으로 필요없는 보험을
정리하고, 그 돈으로 투자했을 때의 기회비용까지 계산해보니 어떤게
더 현명한 판단인지 알겠더라고요.

현수 : 실손보험과 진단금 위주로 준비하는것도 기억나요.
슬기 : 실손보험을 100세까지 내야한다는 것도 처음 알았고
진단금은 만기가 굳이 100세일 필요가 없다는 부분도 인상깊었어요.

기욱 : 네, 맞습니다. 다들 잘 기억하고 계시네요.
핵심은 사라져도 아깝지 않을 돈으로 부담없이 준비하는거에요.
보험은 비용일뿐, 진짜 자산을 모으는게 중요하니까요!

<3줄요약>
1. 보험은 비용, 저축x, 소득의 5% 미만
2. 불필요한 보험 가입시, 해지했을때 기회비용 계산
3. 미혼이라면 치료비(실비) 및 진단금(암) 위주로 준비

<5. 적금 vs 예금 vs 대출>

기욱 : 금리를 비교하는 방법도 기억나시죠?

유정 : 네, 같은 금리라고 해도 적금과 예금의

실제이율은 거의 2배 정도 차이나요!

<적금 vs 예금 vs 대출>1천만원 기준

구분	금리	이자
적금	10%	+458,246 원
예금	5%	+423,000 원
대출		-500,000 원

성준 : 저도 적금, 예금, 대출금리가 다 같은건줄 알았는데

실제이율은 전혀 다르단 사실이 충격이었습니다.

그래서 예,적금 하는거 다 빼서, 신용대출부터 갚기로 했습니다.

슬기 : 지금의 고금리 예,적금이 영원하지 않다고 했던 것도 기억나

요. 장기적으로 보면 다시 금리가 낮아질 가능성이 크다고.

기욱 : 네, 맞습니다. 저성장 때문이에요.

그래서 장기적으로는 투자에도 꼭 관심을 가져야해요!

<3줄요약>

1. 실제금리를 비교, 계산할 수 있어야 함

2. 비슷한 경우는 가급적 대출부터 갚기 (심리적 안정감도 중요)

3. 고금리가 영원하진 않다. 장기적으로는 투자에 관심을 가져야함.

<6. 채권 vs 주식 vs 부동산>

기욱 : 우리가 살고있는 자본주의사회에서

가장 대표적인 자산인 채권, 주식, 부동산의 개념도 기억나시죠?

유정 : 네~ 채권은 단순히 돈을 빌려주는것,

주식은 사업에 투자해서 경영자와 같이 동업하는것.

슬기 : 투자한 사업이 잘 되었을때, 채권의 이자는 그대로지만,

주식의 배당금은 계속 커진다는것도 기억나요.

거기에 따라 내가 가진 지분가치도 점차 커진다는 것.

기욱 : 네, 그래서 결국 내가 투자한 사업이

'앞으로도 돈을 계속 잘 벌 수 있을지?'가 가장 중요하겠죠?

현수 : 네, 2030세대가 시드머니를 모으기에

주식투자가 가장 매력적이란 말도 기업납니다.

기욱 : 네, 하지만 기대수익이 높은만큼 리스크와 변동성도 크기 때문에 꼭 스스로 공부하고 투자를 판단해야합니다.

남의 말만 듣고 무작정 투자하는건 절대 금물이에요!

현수 : 네! 앞으로는 절대 그러지 않겠습니다.

<3줄요약>

1. 대표적 투자자산 : 채권, 주식, 부동산

2. 투자한 자산이 계속 돈을 잘 벌 수 있는지 여부가 중요

3. 책임은 투자자 본인에게 있음. 스스로 공부하고 판단해야 함.

<7. 투자의 제 1원칙>

기욱 : 투자에서 가장 중요한 제 1원칙이 뭘까요?

유정 : 장기투자요! 장기투자할수록 성공할 확률이 높아져요.

기간은 최소 3~5년이상! 길면 길수록 좋아요!

슬기 : 앞으로의 재무계획에 맞게끔, 단기와 중장기,

저축과 투자를 구분하는 부분도 인상적이었어요.

 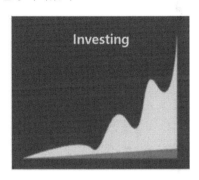

<출처 : 트위터 @BrianFeroldi>

기욱 : 맞습니다. 아무리 좋은 자산에 투자한다 해도

장기투자하지 못하고 가격이 낮을 때 팔아버리면 아무의미 없어요.

투자하기 전에 반드시 스스로를 먼저 파악해야 해요.

유정 : 너 자신을 알라!!

<3줄요약>

1. 투자의 제 1원칙 : 장기투자!

2. 투자기간은 길면 길수록 좋다. 최소 3~5년 이상 장기투자하기

3. 스스로 재무계획을 세워보고, 저축과 투자비중을 정한다

<8. 투자가 어려운 이유>

기욱 : 주식투자가 어려운 이유에 대한 내용도 기억나시죠?

유정 : 네, 일단 좋은 기업을 고르기가 너무 힘들어요.

그리고 좋은 기업을 잘 골랐다 해도 주가가 고점일수도 있고..

현수 : 과거에 잘 나갔던 기업들의 주가가 처참히 하락했던것도 충격이었어요. 지금 좋은 기업이 미래에도 좋을꺼란 보장이 없다는 것..

기욱 : 그렇죠. 미래를 예측하기가 정말 쉽지 않죠.

성준 : 저는 애플, 구글, MS, 아마존 같이 지금 잘 나가는 기업들의 성장에, 운이 꽤 많이 작용했다는 사실도 인상깊었습니다.

기욱 : 네, 개별주식 투자는 운의영역이 너무 큰 거에요.

슬기 : 가장 와 닿았던건 개별주식투자는 확신을 가질 수 없다는 거였어요. 실제로 주가가 떨어지면 확신이 사라지면서 너무 무섭고, 그냥 빨리 팔고 싶어지거든요.

기욱 : 네, 맞는 말씀입니다.

그러니 처음 투자를 시작하때는 개별주식에 직접 투자하기보다는 인덱스투자를 잘 활용하면 좋을것 같습니다.

<3줄요약>

1. 장기투자한다고 무조건 투자에 성공하는게 아니다

2. 개별주식투자로 꾸준히 성공하기가 너무 어렵다

3. 그러니 인류 최고의 발명품, 인덱스투자를 활용하자!

\<9. 인덱스투자\>

기욱 : 인덱스투자는 그럼 뭘까요?

유정 : 수 백개 우량기업을 한 번에 투자할 수 있는 방법이에요.

기욱 : 훌륭하십니다. 대표적으로 어떤게 있을까요?

유정 : 우리나라의 코스피200, 미국을 대표하는 S&P500,
미국 기술주 중심의 나스닥100 등이 있어요!

슬기 : 워런 버핏이 자기 재산의 90%를 S&P500에 투자하라고 유언을 남긴것도 인상적이었어요.

성준 : 저는 워런 버핏과 헤지펀드 회장과의 내기도 기억납니다.

기욱 : 맞습니다. 인덱스 성과를 이기기가 정말 쉽지 않죠.

유정 : 국내보다는 가급적 시장이 큰 미국쪽으로.
처음 투자할때는 변동성이 큰 나스닥보다, 다양한 산업의 기업들이
골고루 있는 S&P500이 낫다고 하셨어요.

기욱 : 네, 물론 향후 어떤 인덱스의 수익이 좋을지는 아무도 몰라요.
그래도 처음 투자를 시작한다면, 여러 투자의 현인들이 다수 추천했던 S&P500 인덱스 위주로 시작해보길 추천드립니다.

\<3줄요약\>

1. 수 백개 우량기업에 손쉽게 투자할 수 있음

2 인덱스투자 성과를 이기기가 정말 쉽지 않음

3. S&P500, 나스닥100 등 대표적인 인덱스의 특성 파악하기

<10. 거치식 vs 적립식 vs 빚투>

기욱 : 한 번에 목돈을 투자하는 거치식투자와

매월 같은 금액을 투자하는 적립식투자의 차이도 기억나시죠?

유정 : 네, 수익률 자체는 거치식투자가 더 높아요.

슬기 : 하지만 적립식투자는 변동성을 줄여주죠.

기욱 : 맞습니다. 과거의 성과만 보면

"레버리지투자 > 거치식투자 > 적립식투자"

순으로 수익률이 높았어요.

하지만 우리는 감정이 있는 인간이잖아요?

단순히 수익률이나 확률이 높은쪽으로만 투자할 순 없어요.

심리적인 면도 꼭 고려해야해요.

변동성 때문에 장기투자하지 못한다면 아무 의미가 없는거에요.

유정 : 네~ 맞아요. 투자에서 정말 중요한건

뛰어난 분석력이나 지식, 확률 등 수학적 능력이 아니라

꾸준히 투자를 유지할 수 있는 올바른 '투자습관'이죠!

기욱 : 훌륭하십니다. ㅎㅎ

<3줄요약>

1. 과거수익률 통계 : 레버리지 > 거치식 > 적립식투자

2. 우리는 인간이므로 심리적인 면도 고려해야 한다

3. 장기투자, 인덱스투자, 적립식투자, 올바른 투자습관 유지하기!

<11. 펀드 vs ETF>

기욱 : 인덱스에 투자하는 방법에는 펀드와 ETF 두가지가 있었죠?

유정 : 네~ 펀드보다 ETF가 수수료도 더 낮고, 사고 팔기도 편하고,
여러므로 장점이 많아요.

현수 : 하지만 꾸준히 기계처럼 적립식투자하기에는, 자동이체가 가
능한 펀드가 좀 더 유리해요. 특히 저 같이 멘탈이 약한 사람에게는
펀드가 좀 더 나을것 같아요.

슬기 : 맞아요. ETF를 매수할때마다 주가변동을 보게되니까
자꾸 마음이 흔들리더라고요.

기욱 : 맞습니다. 요새는 ETF도 자동으로 적립식매수가 가능한 증권
사들이 몇 있으니, 알아보면 좋을 것 같아요.

성준 : 2008년에 전 재산이 -50%, 반토막까지 갔지만
그래도 꿋꿋이 장기투자하셔서 성공한 경험담도 인상깊었어요.

유정 : 역시 투자에서 가장 중요한 것은,
뛰어난 머리가 아니라, 인내할 수 있는 엉덩이다. ㅎㅎ

기욱 : 네, 맞습니다.

<3줄요약>

1. 펀드보다 ETF가 편리하고 비용도 낮고 장점이 많다

2. 하지만 ETF는 꾸준히 기계처럼 적립식투자가 쉽지 않다

3. 투자원칙을 꾸준히 유지할 수 있는 인내심이 가장 중요하다

<12. ISA, IRP, 연금저축, 퇴직연금>

기욱 : 세금을 아낄 수 있는 절세계좌도 기억나시죠?

유정 : 네! ISA, IRP, 연금저축 계좌요!

3~5년 이상 중장기투자를 할 땐 ISA 계좌

노후자금 목적의 장기투자는 연금저축, IRP계좌를 활용하면 되요.

슬기 : 특히 연금저축의 세금혜택이 굉장히 커서 놀랐어요.

세액공제보다 저율과세, 과세이연 혜택이 훨씬 더 큰 것도요.

하지만 만55세 이전에는 찾을 수 없으니, 반드시 노후자금 목적으로 장기투자할 수 있는 돈으로만 투자해야 해요.

성준 : 제가 하고 있는 보험사 연금저축 상품은 투자할 수 없지만, 증권사 계좌로 이전하면 S&P500 같은 펀드, ETF에 자유롭게 투자할 수 있다는 점도 유용한 조언이었어요.

현수 : 그리고 회사 퇴직연금이 DC형이라면, '어떻게 운용되고 있는지?' 확인하고 적극적으로 투자해야 해요.

슬기 : 저도 제 퇴직계좌 꼭 확인해봐야겠어요!

<3줄요약>

1. 투자할때 세금도 반드시 고려해야 한다

2. 중장기투자는 ISA, 노후목적의 장기투자는 연금저축

3. 퇴직연금이 DC형이라면 수익률 관리에 신경써야 한다!

<13. 자산배분과 매도의기술>

기욱 : 주식을 파는 방법도 기억나시죠?

유정 : 네! 1) 처음 계획한 시점에 분할해서 판다

2) 목표수익률을 정해놓고 달성하면 판다

3) 자산 리밸런싱을 통해 주기적으로 사고 판다.

기욱 : 네, 여기서 가장 수익률이 높은건 1번이지만, 금액이 커지면 변동성도 커지기 때문에, 3번 자산 리밸런싱도 어느정도 필요하죠.

슬기 : 네, 현금성자산, 투자자산, 부동산자산, 이 3가지 자산을 나의 재무계획과 성향에 맞게 잘 배분하는 것도 중요한 것 같아요.

현수 : 각 자산이 1대1대1, 비슷한 비중으로 배분하라는 탈무드 자산 배분도 기억나요.

성준 : 저는 제 자산이 어디에 얼마 들어있는지도 몰랐는데.. 꾸준히 자산내역과 비중을 기록하는 것도 도움이 될 것 같습니다.

슬기 : 그리고 자산배분할때 기준이 너무 자주 바뀌면 안되요.

현수 : 맞아요. 제가 그랬어요. 이랬다가 저랬다가. 명확한 기준을 세워서 1년에 1번만 리밸런싱 하는게 좋은것 같아요.

<3줄요약>

1. 어느정도 목돈이 모아진 이후부터는 자산배분이 중요하다.

2. 현금성, 투자자산, 부동산자산을 나의 상황에 맞게 잘 배분하자.

3. 자산배분의 원칙과 기준이 수시로 바뀌지 않도록 주의!

<14. 장기적인 투자방향>

기욱 : 우리나라 인구구조에 대한 이야기도 기억나시죠?

유정 : 네, 고령화로 국민연금이 고갈될 가능성이 높으니까
우리 스스로 잘 준비해야해요!

슬기 : 급격한 저출산, 고령화 속도로 인해서 국민연금뿐 아니라
건강보험, 기초연금 등의 국가재원이 많이 들어갈 수 밖에 없고,
투자에 대한 세금부담도 높아질 가능성이 높으니,
연금저축, IRP 등 절세계좌를 꼭 활용해야겠죠.

성준 : 저는 환율에 의한 수익률 차이도 놀라웠어요.
30년 전 환율 기준으로 거의 2배 정도 차이나더라고요.
장기적으로 원화가치가 하락할꺼란 내용에도 공감이 많이 갔고요.

슬기 : 맞아요. 원화가치의 미래는 암울할 수 밖에 없을 것 같아요.

유정 : 그래서 장기적으로는 꼭 달러자산 확보하기!
전 세계의 똑똑한 인재들은 미국으로 향하니까요!

기욱 : 네, 원화자산에만 몰빵하는 일은 꼭 피해야 해요.

<3줄요약>

1. 국민연금 고갈 → 스스로 준비하기
2. 세금인상 → 연금저축, IRP 절세계좌 활용
3. 원화가치 하락 → 달러자산 확보

<15. 실거주 주택마련>

기욱 : 실거주 주택마련도 기억나시죠?

유정 : 네! 가장 중요한 건 내 자산과 소득 대비 적정한 집값 구하기!

슬기 : 저도 집을 사면 무조건 영끌할 생각만 했지, '집을 사는데 현금을 얼마나 투입할지?' '대출원리금이 소득대비 어느정도 되야 부담이 없을지?' 이런 생각은 못해봤던 것 같아요.

현수 : 싸이클을 공부해서 최대한 쌀 때 사는 것도 중요해요!

1. 미분양주택 해소

2. 전세가격 상승

3. 거래량 증가

4. 세금 및 규제완화

5. 통화량 대비 집값비교

슬기 : 통화량에 대한 내용도 흥미로웠어요. 그동안 집값이 오른게 통화량이 늘어나면서 화폐가치가 하락했기 때문이라니..

성준 : 장기적으로는 세금 및 유지보수비용까지 감안해서 내가 유지할 수 있는지에 대한 고민도 필요할 것 같습니다.

<3줄요약>

1. 내 자산과 소득 대비 '적정한' 집 찾기

2. 싸이클을 공부해서 최대한 가격이 '쌀 때' 사기

3. 장기적으로 유지할 수 있는지에 대한 고민도 필요

<16. 은퇴준비와 경제적자유>

기욱 : 은퇴준비 관련된 내용도 기억하시죠?

유정 : 네! 과거보다 일할 수 있는 기간은 짧아졌는데
수명이 길어지면서 노후기간은 늘어났으니 꼭 준비를 잘 해야 해요!

과거	교육20년	노동40년	노후
현재	교육30년	노동30년	노후40년↑

슬기 : 국민연금이나 건강보험 같은 사회적인 보장도 저희가 은퇴할
시기가 되었을 때는 지금처럼 유지되기가 어려울 것 같아요.
결국 저희 스스로 준비하는 수 밖에 없겠죠.

성준 : 은퇴했다고 그냥 노는게 아니라, 조금이라도 돈을 벌 수 있는
일이나 작은 사업 등을 준비하면 좋을 것 같습니다.

유정 : 국민연금+퇴직연금, 여기에 개인적으로 소득의 10%정도 더
은퇴자금을 위해서 연금저축계좌에서 투자하기!

슬기 : 퇴직연금부터 확인하고, 잘 관리해야겠어요.

기욱 : 네, 훌륭하십니다. 잘 기억하고 계시네요.

<은퇴준비, 3줄요약>

1. 은퇴한 후 무얼할것인지에 대한 준비. 좋아하는 일, 작은사업 등
2. 욕심을 버리고 생활비를 줄일 수 있는 마음가짐도 필요.
3. 국민연금, 퇴직연금 이외에 소득의 10% 추가로 투자하기

기욱 : 파이어족, 경제적자유 관련 내용도 기억나시죠?

유정 : 필요한 연생활비 x25배로 은퇴자금을 계산할 수 있어요.
연 3,000만원이 필요하다면, 은퇴자금은 7억5천만원.

슬기 : 여기서 살고 있는 주택 가격은 제외해야 하기 때문에
사실상 집에 대한 욕심을 버려야 경제적자유를 이룰 수 있어요.

성준 : 파이어해서 경제적자유를 이룬 후에도,
자산시장의 변동이나 심리적인 불안감 때문에라도
알바나 작은 사업같이 추가적인 수입이 필요할 것 같습니다.

슬기 : 저는 파이어족이 화려하고 호화로운 삶을 사는게 아니라
욕심을 버리고, 소소한 행복을 추구하면서
소박하게 사는 사람들이라는 말이 되게 인상깊었어요.
그게 더 현실적이고 맞겠다는 생각이 들더라고요.

기욱 : 맞습니다. 사실은 제가 그런 파이어족입니다.

유정 : 저도 그런 파이어족 할래요.

일동 : (웃음)

<경제적자유, 3줄요약>
1. 25배의 법칙 활용하여 필요한 은퇴자금 계산
2. 은퇴한 후 적은 수입이라도 일할거리가 필요하다
3. 욕심을 줄이고, 행복에 대한 자신만의 철학이 필요함

＜복리의 마법＞

기욱 : 마지막으로 다같이 계산을 하나 해보고 마칠께요.

직접 한번씩 계산해보세요. 네이버에서 '예금계산기' 라고 치면 됩니다 .간단한 시뮬레이션을 해볼꺼에요.

지금부터 천만원을 노후까지 30년동안 투자하는거에요.
금액에는 10,000,000 원을 입력하고요
기간은 현재 30살이 60살까지 투자했다 가정하고 30년,
이자율은 예상 투자수익률로 보면 되요. 연 8%로 해볼께요.
일반과세로 그냥 계산하기 눌러보세요.

예치금 1,000만원을 30년동안
연 이율 8%로 저축하면

총 3,030만 4,000원을 수령하실 수 있습니다.

기욱 : 30년 투자인데.. 최종잔고가 너무 적죠?
유정 : 네.. 너무 적어요.
기욱 : 혹시 단리와 복리의 차이를 아실까요?
유정 : 단리, 복리요? 음..

슬기 : 복리는 이자가 여러번 붙는거? 그거 아닌가요?
기욱 : 네, 맞습니다. 단리는 이자가 딱 한 번만 붙는거고요.
복리는 원금과 이자가 합한거에 또 이자가 붙는거에요.
당연히 기간이 길수록 단리보다는 복리가 더 유리하겠죠?

그럼 여기서 질문, S&P500 인덱스에 투자했다면?

이건 단리일까요? 복리일까요?

슬기 : 복리?

기욱 : 맞습니다. 역시 슬기님. 다 알고 계시네요.

대부분의 투자는 단리가 아닌 복리로 계산해야 해요.

연이자율 우측에 단리 대신, 복리로 체크후 다시 계산해보세요.

예치금 1,000만원을 30년동안 연 이율 8%로 저축하면

총 9,405만 6,273원을 수령하실 수 있습니다.

유정 : 와~ 아까랑 차이가 많이 나네요?

기욱 : 단리와 복리의 차이가 꽤 크죠?

그래서 기간이 길수록 꼭 투자를 같이 해야 해요.

참고로 워런 버핏이 처음 주식투자를 한 시기가 10살 때라고 해요.

2024년 기준 한국나이로 95세니까요. 투자기간이 무려 85년인거죠?

슬기 : 그러네요. 85년 와.

기욱 : 우스갯소리로 버핏이 투자로 부자가 된 이유가 단순히 오래살 았기 때문이란 말도 있는데요. 앞으로 의학기술이 발전하고 수명이 길어지니까.. 여기 계신분들은 100살 넘게 살고, 버핏처럼 80년 이상 장기투자도 할 수 있을꺼에요.

유정 : 아? 80년 장기투자요? 상상이 안가요.

기욱 : ㅎㅎ 한번 시뮬레이션 해볼게요.

금액은 10,000,000 원 아까와 동일. 기간은 80년.
월복리 연 8%는 동일하게 한번 계산해보세요.

예치금 1,000만원을 80년동안
연 이율 8%로 저축하면

총 49억 8,614만 8,700원을 수령하실 수 있습니다.

유정 : ??? 이게뭐에요?

슬기 : 진짜 49억인가요?

기욱 : 네, 맞습니다. 세금 떼기 전에는 58억.

현수 : 와.. 대박이네요.. 이게 계산이 맞는거에요?

기욱 : 계산 맞습니다. 잘못되지 않았어요.

신기하죠? 원금 천만원이 50억 가까이 되는거에요.

<투자기간에 따른 성과, 연 8% 기준>

원금	1,000만
10년	2,219만
20년	4,926만
30년	1.1억원
50년	5.4억원
80년	58.9억원

유정 : 와.. 진짜 대단하네요..
천만원이 58억이 되다니..

기욱 : 투자에서 가장 중요한건
사실 투자금액도, 투자수익률도 아니에요.
바로 투자기간, 시간입니다.
명심하세요. 결국 돈을 벌어다 주는 것은
시간이에요. 참고로 투자기간을 100년으로
하면 천만원이 무려 290억이 됩니다.

슬기 : 와.. 진짜 시간이 가장 중요한거였네요.

기욱 : 2030세대가 기성세대보다 유리한게 뭘까요?

바로 시간이라는 자산이 풍부하다는거에요. 다들 시간부자시죠?

유정 : 네~ 맞아요!

기욱 : 투자에 대해서 너무 조급하게 생각하지 않았으면 좋겠어요.
지금 당장은 투자해서 엄청난 돈을 벌겠다는 욕심보다는
본업에 집중하면서, 착실히 시드머니를 모으고
장기투자, 인덱스투자, 적립식투자 등 올바른 투자습관을 기르면서
투자경험을 쌓는데 의미를 두면 좋을것 같아요.

그렇게 조금씩 천천히 꾸준히 투자경험을 쌓고,
시드머니를 잘 모아서, 투자하다보면
결국 시간과 복리의 마법으로 자산이 스스로 커지면서
각자 원하는 재무목표도 잘 이룰 수 있을꺼에요!

유정 : 네! 80년 투자해서 꼭 50억 모아볼게요!

일동 : (웃음)

기욱 : 제가 지금까지 자본주의와 돈에 관련된 이야기를 했지만
세상에는 가족, 건강, 친구, 시간, 일의 의미 등
돈보다 소중한게 있다는 것도 꼭 명심하셔야해요.

결국 행복해지기 위해 돈도 모으고, 투자도 하는건데
너무 돈만 쫓다가 건강도, 사람도, 행복도, 다 잃는 사람들을 많이
봐왔거든요? 꼭 돈이 많다고 행복한게 절대 아니에요.
돈과 행복, 양쪽의 밸런스를 잘 지킬 수 있었으면 좋겠습니다.

유정 : 네, 돈과 행복! 둘 다 잡기! 메모메모!

<출처 : @BrianFeroldi>

슬기 : 맞아요. 너무 돈만 생각하면 사람이 차가워지는것 같아요.

성준 : ㅎㅎ 좋은 말씀입니다. 돈도 중요하지만

가족이나 행복같은, 더 중요한 걸 놓치면 아무 의미없겠죠.

기욱 : 제가 하고픈 말은 이것으로 끝입니다.

다들 너무 수고하셨어요. 박수와 함께 그룹상담을 마칠께요!

유정 : 쌤 너무 감사합니다.

슬기 : 정말 너무 도움이 많이 되었어요. 감사해요.

현수 : 정말 많이 배웠어요. 감사드려요 선생님!

성준 : 너무 수고 많으셨습니다. 감사합니다!!

<3줄요약>

1. 단리와 복리의 차이 이해

2. 투자에서 가장 중요한 것은 '수익률' 이 아닌 '시간' 이다!

3. 돈보다 더 중요한 가치들도 잊지말자. 밸런스가 중요.

제 18장 : 인물별 재무플랜 예시

<1. 유정, 26살 사회초년생>

기욱 : 유정님, 그룹상담 어떠셨나요?

유정 : 너무 좋았어요~

아무것도 몰랐는데 진짜 많이 배운것 같아요~

기욱 : ㅎㅎ 제가 숙제를 드렸는데 혹시 좀 해보셨나요?

유정 : 네~ 지출예산 작성해봤어요. 한번 봐주세요.

교통비	8.5만	문화생활	12만
휴대폰	3.2만	보험료	5만
식비	20만	기타	6만
용돈	25만	계절지출	20만
TOTAL	100만		

유정 : 쌤 말대로 휴대폰요금과 보험료는 최소로 잡았어요.

기욱 : 오~ 딱 100만원에 맞추셨네요.

그럼 세후소득 230만원에서 지출 100만원을 빼면

저축금액이 130만원이네요? 저축률 56% 훌륭하십니다.

유정 : 앗, 감사합니다 ㅎㅎ

기욱 : 너무 팍팍하게 잡은건 아니죠?

유정 : 디테일하게 작성해보고 약간 여유금액도 넣어둔거에요.
월급의 절반이상은 꼭 저축하고 싶었거든요!

기욱 : 네, 처음부터 너무 무리하게 계획하면 안됩니다.
실제로 예산대로 돈을 잘 쓰고 저축하고 있는지?
주기적으로 체크도 꼭 해보셔야해요.

유정 : 네~

기욱 : 재무계획은 좀 세워보셨을까요?

유정 : 네, 저는 사실 단기적인 계획은 별로 없더라고요.

단기	시드머니, 여행자금
중장기	독립자금, 결혼자금, 내집마련, 노후자금

유정 : 일단 시드머니 모으는데 집중하고, 1~2년 모은 돈으로 언니랑
여행가려고 계획중이에요. 나머지는 장기적인 계획이고요.

기욱 : 저축액 130만원에서 저축과 투자의 비중도 고민해보셨나요?

유정 : 네, 원래는 저축과 투자를 반반씩 하려고 했지만
제가 나이도 어리고, 특별히 단기간에 목돈 나갈 일이 없기 때문에
투자쪽을 조금 더 해보기로 했어요.
130만원 중에서 저축이 60만원, 투자가 70만원요.

기욱 : 네, 그정도면 괜찮은것 같아요.
조금 더 공격적으로 해도 되겠지만, 투자가 처음이고, 살다보면 또
갑자기 돈이 필요해질 수도 있어요. 그래서 월소득의 2~3배 정도는
입출금이 자유로운 파킹통장으로 가지고 있어도 좋을것 같아요.

<월 130만원 포트폴리오 예시>

저축	60만원	46%	투자	70만원	54%
30만	1년적금	1년	50만	ISA펀드	5년
20만	파킹통장	수시	20만	연금펀드	장기
10만	청약저축	장기			

기욱 : 이정도면 어떨까요?

유정 : 네! 좋아요. 저도 이정도를 생각했어요.

쌤, 청약저축은 꼭 해야할까요?

기욱 : 과거에 비해 메리트가 없는건 사실이지만, 그래도 나중에 공공에서 짓는 싼 아파트를 분양받을때, 유용할 수도 있거든요.

한달에 10만원이면 그렇게 부담되진 않을테니, 그냥 저축이다 생각하고 꾸준히 해도 나쁘진 않을꺼에요.

이렇게 돈을 잘 모으면, 1년후 자산이 이렇게 될꺼에요.

<1년후 자산현황 예시>

예,적금	360만	ISA계좌	600만
파킹통장	240만	연금계좌	240만
청약저축	120만	총자산	1,560만

유정 : 오, 1,500만원이 넘네요!

기욱 : 네, 여기에서 향후 소득이 오르면서 생기는 추가저축,

상여금, 은행이자나 투자수익 등을 모두 감안해서

3년후 순자산 5천만원 모으기를 목표로 하면 될 것 같아요.

<3년후 저축목표 예시>

월저축액	130만원
3년후금액	4,680만
추가저축	320만원
저축목표	5,000만원

유정 : 아직 잘 실감이 안나요. 잘할 수 있을까요?

기욱 : 유정님은 잘 할 수 있을꺼에요!

지금의 의지와 목표를 꼭 잊지마세요!

유정 : 쌤! 너무 감사합니다! 1년동안 열심히 모아볼께요

기욱 : 네, 1년 뒤에 또 뵐께요!~

<1. 유정, 중점사항>

1. 일단 본업에 집중하기!

2. 지출관리 및 저축습관 기르기

3. 인덱스투자로 투자에 대한 경험쌓기

<2. 현수, 28살 돈 모으기 힘든 직장인 3년차>

기욱 : 현수님 ㅎㅎ 그룹상담은 어떠셨나요?

현수 : 정말 많이 배웠습니다.

제가 너무 멋모르고 투자했었다는걸 절실히 깨달았어요..

기욱 : 이제부터 잘 하면 됩니다. 늦지 않았어요!

숙제를 드렸는데 혹시 정리 좀 해보셨을까요?

현수 : 작성은 했는데.. 지출을 줄이기가 정말 쉽지 않더라고요.

임대료	55만	식비	50만
관리비	5만	용돈	30만
공과금	8만	문화생활	15만
교통비	10만	보험료	8만
휴대폰	10만	계절지출	16만
TOTAL	208만		

기욱 : 지출이 꽤 많네요? 세후소득 260만원에서 지출 208만원을 빼면 저축이 52만원, 소득대비 저축률은 20%네요..

현수 : 네.. 전에는 그것도 못했어요..

기욱 : 혹시 자산내역도 작성해보셨죠?

현수 : 네, 이렇게 정리해봤어요.

보증금	600만	청약저축	60만
예,적금	1,000만	주식	500만
파킹통장	200만	코인	220만
총자산	2,580만		

기욱 : 그래도 현금이 꽤 있으시네요?

현수 : 네, 사실 보증금 600만원은 처음 취업할 때 부모님이 도와주신거에요.

기욱 : 음, 지금 월세로 나가는 돈이 너무 아까운 것 같아요.
차라리 전세대출을 받아서 전세로 옮기고, 지금 나가는 월세를 아껴서 저축하는건 어떨까요? 중기청대출도 가능할 것 같아서요.
현수 : 저도 생각을 해봤는데.. 구체적으로 어떻게 해야 할지..

기욱 : 만약 전세 1억 집을 구한다면, 보증금의 80%까지 대출이 가능하거든요. 나머지 20%는 현금이 필요하잖아요?
지금 보증금과 예,적금, 자산의 일부를 팔아서 보증금의 20%인 2천만원을 만들고, 나머지 80%는 대출받는거에요.
8천만원을 대출 받는다 해도, 중기청대출 기준으로 한달 이자가 10만원이에요. 그럼 임대료 55만원 대비 45만원을 아낄 수 있죠.

<전세로 옮겼을때, 저축변화>

임대료	55만원	현재저축액	52만원
예상이자	10만원	저축가능액	97만원
차액	45만원	저축률	37%

현수 : 와, 계산해보니까 정말 돈을 많이 아낄 수 있네요?
기욱 : 식비와 용돈에서 더 아낀다면 저축률 40%도 가능할거에요.
물론 전세 1억 집의 컨디션이 아주 훌륭하진 않아요.
하지만 현수님처럼 아직 나이가 어릴 때 조금 좁은 집에 살면서
바짝 시드머니를 모으는게 장기적으로 보면 나을 수도 있어요.
일명 몸테크라고도 하죠. ㅎㅎ

현수 : 네! 전세대출도 알아보고 이사도 고민해보겠습니다!

기욱 : 사실 휴대폰요금 10만원도 너무 과한거에요.

약정이 끝난후, 알뜰폰 요금제로 옮기면 5만원 이상의 추가저축도 가능하겠죠? 거기에 소득까지 오르면 저축률은 더 올라갈꺼에요.

현수 : 와. 희망이 보이는 것 같네요.

기욱 : 전세로 옮겨을 때, 현수님의 자산이에요.

구분	기존	대안
보증금	600만	1억원
예,적금	1,000만	없음
파킹통장	200만	120만
청약저축	60만	60만
주식	500만	300만
코인	220만	100만
총자산	2,580만	10,580만
부채	없음	8,000만
순자산	2,580만	

현수 : 아, 부채(전세대출)는 따로 표기하는군요?

기욱 : 네, 물론 주식과 코인을 일부 손해보고 팔아야 하지만,

그럼에도 장기적으로는 이렇게 저축액을 늘리는게 나을것 같아요.

현수 : 네. 맞아요. 제 생각도 그렇습니다.

게다가 지금보다 가격이 더 떨어질 수도 있고요.

기욱 : 주식자산은 거의 개별주식일까요?

현수 : 네.. 다 개별주식이고 저도 잘 모르는 주식이 많아요.
친구 말만 듣고 투자한게 많아서요.

기욱 : 음, 그래도 이제부터는 직접 공부하고 투자를 결정하실꺼죠?

현수 : 네! 당연하죠! 이제는 인덱스투자 위주로 해볼까 합니다.

기욱 : 네, 좋은 판단이세요.
혹시 재무계획은 좀 세워보셨을까요?

단기	시드머니, 전세자금
중장기	결혼자금, 내집마련, 노후자금

현수 : 네, 단기적으로는 일단 시드머니 모으는거랑,
나중에 조금 더 좋은 집으로 갈 수 있는 전세자금 모으는거?
중장기적으로는 결혼, 내집마련, 노후자금이 필요할거 같아요.

기욱 : 소득의 40% 기준으로, 저축액 105만원 중에서
저축과 투자의 비중도 생각해보셨을까요?

현수 : 일단 반반씩 생각하고 있습니다. 진짜 제대로 장기투자해서
시드머니를 모아보고 싶단 생각이 들었거든요.

<월 105만원 포트폴리오 예시>

저축	55만원	46%		투자	50만원	54%
30만	1년적금	1년		50만	ISA펀드	5년
15만	파킹통장	수시		20만	연금펀드	장기
10만	청약저축	장기				

기욱 : 이정도로 배분은 어떨까요?

이렇게 1년간 계획대로 저축과 투자를 잘 병행했을 때

1년후 현수님의 자산현황을 시뮬레이션 해봤어요.

<1년후 자산현황 예시>

구분	현재	1년후
보증금	1억원	1억원
예,적금	없음	360만
파킹통장	120만	300만
청약저축	60만	180만
ISA	없음	600만
연금저축	없음	240만
주식,코인	400만	400만
부채	8,000만	8,000만
순자산	2,580만	4,080만

현수 : 와! 순자산이 4천만원을 넘어가네요?

기욱 : 네, 매월 105만원, 소득의 40%, 저축만 잘 지키면 됩니다.

현금성자산	840만	20%
투자자산	1,240만	30%
전세보증금	2,000만	50%

1년후 자산별 비중을 보면 전세보증금이 50%로 가장 크죠?

현금성자산과 투자자산을 계속 모아가다보면, 점차 차이가 줄어들면서 각 자산별 비중도 밸런스가 맞춰지게 될꺼에요.

현수 : 아, 이런식으로 비중을 체크하면 되는군요.

기욱 : 네, 3년후의 구체적인 저축목표도 한번 잡아볼께요.

<3년후 저축목표 예시>

월저축액	105만원
현재자산	2,580만
3년후금액	6,360만
추가저축	640만원
저축목표	7,000만원

현수 : 오, 3년뒤 순자산 7,000만원이요?
제가.. 정말 모을 수 있을지 모르겠어요.

기욱 : 지금 현수님 나이가 연봉이 제일 많이 오를 시기니까요.
이정도 목표를 잡아보는 것도 괜찮을 것 같아요.
대신 소득이 오르면, 그만큼 꼭 저축을 추가로 해야 해요!

현수 : 네! 알겠습니다. 그래도 희망이 보이는 것 같습니다.
전에는 너무 깜깜하고 막막했거든요.

기욱 : 아직 28살.. 충분히 하실 수 있어요.
돈을 벌어다 주는건 결국 '시간'이니까요!

현수 : 네! 알겠습니다!

기욱 : 본업에서 성공할 수 있도록 열심히 일 하시고,
지출을 잘 관리하는게 가장 중요할 것 같네요.

현수 : 너무 감사합니다! 선생님

꼭 잘 모아볼께요!! 내년에 뵙겠습니다!

<2. 현수, 중점사항>

1. 지출관리 타이트하게 체크하기

2. 청년전세대출 활용하여 월세 절감하기

3. 스스로 공부하고 판단하여, 올바른 투자습관 기르기!

<3. 슬기, 무리하게 투자했다 손실중인 직장인 5년차>

기욱 : 슬기님, 그룹상담은 어떠셨나요?

슬기 : 너무 도움 많이 됐어요. 정말 감사합니다. 선생님.

기욱 : 사실 슬기님은 이미 잘하고 계신것 같기는 해요.

슬기 : 아니에요. ㅎㅎ 아직 많이 부족하죠.

기욱 : 혹시 지출예산은 한번 작성해보셨을까요

슬기 : 네, 식비랑 용돈도 조금 줄여보고..

특히 보험료가 원래 20만원이었는데.. 절반으로 줄였어요.

저에겐 불필요한 종신보험은 해지했습니다.

손해는 좀 봤지만.. 기회비용을 생각하면 이게 맞는 것 같아요.

기욱 : 네, 당장은 손해 같겠지만, 장기적으로 보면 오히려 좋은 판단

이세요. 보험으로 저축하는건 진짜 아닙니다.

대출이자	10만	식비	40만
관리비	5만	용돈	30만
공과금	5만	문화생활	16만
교통비	10만	보험료	10만
휴대폰	2만	계절지출	32만
TOTAL	160만		

기욱 : 근데 지출을 정말 잘 관리하고 계셨네요.

세후소득 340만원, 지출이 160만원, 저축액은 180만원,

그럼 소득대비 저축률은 53%, 역시 훌륭하십니다.

슬기 : 네, 지출을 더 줄일까도 고민해봤는데..

그럼 너무 우울해질 것 같더라고요.

기욱 : ㅎㅎ 네, 맞아요. 너무 무리하면 좋지 않아요.

지금의 행복도 중요하거든요! 자산내역도 작성해보셨죠?

슬기 : 네, 직접 작성해보니까, 정리가 되더라고요.

주식과 코인에 투자손실이 너무 커요.. 거의 반토막 난 것 같아요.

보증금	1.3억원	청약저축	600만
예,적금	600만	주식	2,600만
파킹통장	500만	코인	800만
퇴직연금	1,200만	부채	-10,000만
순자산	9,300만		

기욱 : 음.. 지금은 워낙 자산시장이 좋지 않으니까요.

그래도 이정도면 나름 알뜰하게 잘 모으신거에요.

혹시 퇴직연금은 어떻게 운용되고 계세요?

슬기 : 알아보니 제가 직접 운용해야 하는 DC형이더라고요.

선생님 말대로 다 예금형으로 되어 있어서 수익률이 거의 1%에요.

이제 그 돈도 조금씩 투자 하려고요.

기욱 : 네, 맞습니다. DC형이면 꼭 신경 쓰셔야해요.

일단 슬기님 현재 자산비중을 한번 봐볼게요.

현금성자산	2,800만	30%
투자자산	3,400만	37%
전세보증금	3,000만	32%

기욱 : 퇴직연금은 현금성자산으로 포함했어요.

전체적으로 편중되지 않고 비중이 괜찮은편인데요?

슬기 : 그러게요. 원래 의도한건 아니었는데..

기욱 : 주식투자는 어떻게 하고 계세요? 한국주식만 하시나요?

슬기 : 네, 거의 한국주식이에요.

미국쪽 주식도 조금 있긴 해요. 대부분 개별주식이고요.

기욱 : 그래도 장기적으로는 개별주식보다

인덱스투자 비중을 늘리실 생각은 있으신거죠?

슬기 : 네, 그럼요. 저 이제 무조건 인덱스투자만 할꺼에요.

투자를 너무 쉽게 생각했던것 같아요..

지금 개별주식과 코인을 인덱스투자로 옮기고 싶은데

당장 팔자니 손실난게 너무 아깝고.. 어떻게 해야할지 모르겠어요.

기욱 : 음, 그럴때는 적립식투자방법을 응용하면 됩니다.

예를 들어 현재 개별주식과 코인자산에 있는 3,400만원을

한번에 파는게 아니라, 한 달에 100만원씩만 팔아서 옮기는거에요.

슬기 : 아..

기욱 : 그렇게 매월 100만원씩, 3년정도 지나면 총 3,600만원을

계획했던대로 인덱스쪽으로 옮길 수 있겠죠?

주식이나 코인가격이 갑자기 오를수도 있고,

혹은 더 떨어질 수도 있고.. 미래를 알 수 없으니.,

적립식투자로 조금씩 천천히 리밸런싱 하는거에요.

슬기 : 역시 그게 좋은 방법같아요!

기욱 : 앞으로의 재무계획에 대해선 좀 고민해보셨어요?

단기	시드머니, 전세자금
중장기	결혼자금, 내집마련, 노후자금

슬기 : 고민을 많이 해봤는데, 결혼에 대해서 아직 잘 모르겠어요.

지금 만나는 남자친구는 있는데.. 결혼을 해야 하는건지..

저도 확신이 안들어서요..

기욱 : 네, 맞아요. 미래를 확실히 알 수는 없죠.

슬기 : 결혼자금을 빼면, 일단 전세보증금 모으는게 중요하고,

그 후로는 내집마련과 노후자금에 투자해야할 것 같아요.

저축과 비중의 비중은 저축3 에 투자7 정도?

기욱 : 앗, 정말 공격적이시네요?

하지만 이미 지금도 투자자산 비중이 가장 크기 때문에

저축4에 투자6 정도도 나쁘진 않을것 같아요.

혹시나 2~3년 뒤에 결혼하게되면 목돈이 필요할 수도 있으니..

슬기 : 음. 그런가요.

하긴 투자만 7이면 좀 과한 것 같기도 해요. ㅎㅎ

기욱 : 그럼 저축액 180만원 중에서 70만원 저축(38%),

110만원 투자(62%)로 나누면 어떨까요?

슬기 : 오, 네 좋은것 같아요!

<월 180만원 포트폴리오 예시>

저축	70만원	38%	투자	110만원	62%
60만	1년적금	1년	80만	ISA_ETF	5년
10만	청약저축	장기	30만	연금_ETF	장기

기욱 : 그럼 이정도로 배분하는건 어떨까요?

슬기 : 네, 이정도 배분이 괜찮은것 같아요.

혹시 청약저축은 계속 해야할까요? 요새 고민이에요.

기욱 : 지금은 600만원까지 납입하셨네요?

슬기 : 네, 600만원까지 납입하면 좋다고 들어서요.

기욱 : 네, 아파트를 분양할때, 일반분양과 특별분양이 있는데요.

일반분양은 부양가족, 무주택기간, 청약저축 납입횟수 등을 보는데

아무래도 청년분들이 불리한게 사실이에요.

슬기 : 네, 맞아요..

기욱 : 그래서 일반분양이 아닌 특별분양을 노려야 하는데요.
특별분양시 최소한의 자격기준이 600만원인 경우가 많아요.
슬기 : 아, 그래서 600만원까지 넣으라고 한거군요?
기욱 : 네, 만약 더 큰 평형의 아파트를 원하거나
특별분양이 아닌 일반분양을 노린다면 계속 넣어도 되지만
아무래도 청약통장의 금리 자체가 너무 낮다보니 예전보다 가성비가
떨어지는 것도 사실이에요.

슬기 : 아, 네네 그럼 일단 청약통장 납입은 보류하는걸로.
혹시 ISA, 연금저축 계좌안에서 여러개의 ETF 상품으로 나눠서 투자도 가능할까요?
기욱 : 네, 그럼요. 가능하세요.
슬기 : 포트폴리오가 고민이에요.

<월 110만원 투자 포트폴리오 예시>

금액	계좌	투자종류	투자목표
50만	ISA	배당성장ETF	5년후 결혼자금
30만		S&P500	10년후 내집마련
30만	연금계좌	나스닥100	30년후 노후자금

기욱 : 투자에 정답은 없으니까요. S&P500, 나스닥100 등 기본적인 인덱스 위주로 잘 짜보세요. 만약 100% 주식투자가 불안하다면 채권이나 부동산리츠, 배당성장형 ETF를 포함해도 괜찮아요.
슬기 : 네! 고민해보겠습니다!

구분	현재	1년후
보증금	1.3억	1.3억
예,적금	600만	1,440만
파킹통장	500만	500만
청약저축	600만	600만
주식,코인	3,400만	2,200만
ISA계좌	없음	2,160만
연금계좌	없음	360만
퇴직연금	1,200만	1,600만
부채	-10,000만	-10,000만
순자산	9,300만	11,860만

기욱 : 1년후 슬기님 자산이에요. 퇴직연금은 대략 계산해서 넣어봤
어요. 현재 개별주식 및 코인자산에서 매월 100만원씩
ISA계좌의 인덱스투자로 옮겼다고 가정하고 계산한거에요.

슬기 : 네, 1년후면 드디어 순자산 1억이 넘겠네요!

현금성자산	3,820만	32%
투자자산	5,040만	42%
전세보증금	3,000만	26%

기욱 : 1년뒤 퇴직연금에서 20%만 투자했다고 가정한건데요.
이렇게되면 투자자산 비중이 지금보다 더 커지잖아요?

혹시 슬기님 재무계획에 변동이 없는지?

계획 대비 너무 투자비중이 과한건 아닌지?

이런것들을 잘 체크하면서 비중을 조절하면 됩니다.

슬기 : 네, 알겠어요. 제 생각에는 전체자산에서 투자자산을 50%까지는 늘려도 괜찮을 것 같아요!

기욱 : 네, 자산배분의 기준에 정답은 없습니다.

저는 투자자산 비중이 70%에요. ㅎㅎ 다만 그만큼 변동성도 커진다는걸 꼭 명심해주세요.

그럼 슬기님의 3년후 저축목표도 계산해볼게요.

월저축액	180만원
현재자산	9,000만
퇴직연금적립	1,200만
3년후금액	16,980만
추가저축	1,020만원
저축목표	18,000만

기욱 : 3년치 퇴직연금 적립금 1,200만원과, 3년간 슬기님 소득이 오르면서 생기는 추가저축, 상여금, 이자와 투자수익까지 감안해서 3년후 1억8천만원 모으기를 목표로 하면 어떨까요?

슬기 : 와. 1억8천만원요?

이렇게 보니까 벌써 부자가 된 것 같네요.

기욱 : 충분히 하실 수 있어요. 지금도 사실 잘 하고 계시고요.

슬기 : 아니에요. 선생님 너무 감사합니다.

<3. 슬기, 중점사항>

1. 개별주식에서 안정적인 인덱스투자로 비중 옮기기.

2. DC형 퇴직연금계좌 방치하지 말고 잘 관리하기!

3. 재무계획에 맞게끔 자산배분 비중체크 및 리밸런싱.

<성준, 결혼전 자산배분에 고민인 프리랜서>

기욱 : 성준님 ㅎㅎ 그룹상담은 어떠셨나요?

성준 : 너무 좋은 시간이었습니다. 제가 모르는게 너무 많더라고요.

기욱 : 그쵸. 저희가 이런 교육을 특별히 받아본적이 없었잖아요?
지금부터 꾸준히 공부하고 잘 관리하면 됩니다.
지출예산 작성해보셨을까요?

성준 : 네, 카드청구서 보면서 작성하긴 했는데, 한번 봐주세요.

임대료	30만	유류비	35만
대출이자	53만	휴대폰	8만
관리비	14만	식비	60만
보험료	30만	용돈	50만
계절지출	30만	문화생활	20만
TOTAL	330만		

기욱 : 지출금액이 꽤 크시네요? 330만원.

성준 : 네, 어디서 뭘 줄여야 좋을지.. 모르겠네요.

기욱 : 혹시 세후소득이 어느정도 되실까요?

성준 : 제가 프리랜서다보니 소득이 너무 들쑥날쑥해서요.

기욱 : 프리랜서 분들은 연소득을 나누기 12개월해서,

월평균소득으로 계산하는게 좋아요.

성준 : 아? 월평균소득으로요?

기욱 : 예를 들어 작년 연소득이 3,600만원이면, 월평균소득은 300만원이잖아요? 만약 1월 소득이 500만원이었다면, 그 돈을 1월에 다 쓰지 말고 월평균소득인 300만원만 쓰는거에요.

500만원에서 300만원을 썼으니, 200만원이 남잖아요?

이걸 쓰지 않고 파킹통장에 잘 보관하는거에요.

만약 2월소득은 좀 낮아서 200만원이라고 하면, 나는 300만원이 필요한데 100만원이 부족하잖아요? 이걸 지난달 남겨뒀던 돈에서 찾아 쓰는거에요. 그럼 이제 파킹통장에는 100만원이 남아있겠죠?

성준 : 네, 그렇죠.

구분	소득	사용	잔액
1월	500만		200만
2월	200만	300만	100만
3월	400만		200만
4월	150만		50만

기욱 : 만약 3월은 일이 많아서 400만원을 벌었으면, 역시 300만원만 쓰고, 나머지 100만원은 따로 모아놓으세요. 그럼 지난달 잔액 100만원에서 또 100만원이 추가되서 잔액은 200만원이 되겠죠?

성준 : 아, 이런식으로 관리하는거군요?

기욱 : 네 맞습니다. 물론 처음엔 어느정도 여유현금이 있어야겠죠?

핵심은 매월 같은 돈을 지출하고, 저축하는거에요.

그래야 지출관리도 되고, 저축목표도 세울 수 있거든요.

성준 : 이해했습니다. 좋은 방법같습니다.

기욱 : 그럼 이렇게 했을 때, 평균소득을 어느정도 잡으면 될까요?

성준 : 세금 제외하고 작년 소득이 약 5,200만원 정도 되니까

12개월로 나누면 432만원, 조금 여유있게 매월 420만원 정도를 월평

균소득으로 잡으면 될 것 같습니다.

기욱 : 그럼 420만원 소득 기준으로 현재 330만원을 쓰고 계시니까

저축할 수 있는 돈은 90만원, 저축률은 21%에요.

소득 대비로 보면, 저축을 너무 못하고 계신거에요.

성준 : 저도 그렇게 생각은 하고 있었어요.

일은 열심히 하는데 돈은 잘 모이지 않는다는 느낌..

선생님, 어느부분을 줄이면 좋을까요?

기욱 : 혹시 대출이자 53만원은 어떤 대출인걸까요?

성준 : 전세대출이자가 33만원, 신용대출이자가 20만원입니다.

기욱 : 아, 그럼 지금 반전세로 계시는군요

성준 : 네, 맞습니다.

기욱 : 혹시 대출이율은 알고 계실까요?

성준 : 전세대출은 4%, 신용대출은 6%가 넘는것 같아요.

기욱 : 음.. 자산내역도 작성해보셨죠?

성준 : 네네, 여기 작성했습니다.

보증금	1.3억원	청약저축	340만
예,적금	7,500만	주식	2,500만
파킹통장	500만	보험	2,800만
전세대출	-10,000만	신용대출	-5,000만
순자산	11,640만		

기욱 : 신용대출은 빨리 갚는게 낫지 않을까요?

성준 : 네, 맞습니다. 적금이율이 8%라 신용대출보다 나은줄 알았는데.. 적금의 실제이율이 절반도 되지 않는다는걸 생각못했어요.

기욱 : 네, 설령 예,적금의 실제이율이 대출금리보다 높다 하더라도 심리적인면도 고려해야해요.. 일단은 예,적금에 있는 돈을 찾아서 신용대출부터 빨리 갚는게 좋을것 같아요.

그럼 이자가 나가지 않으니, 당장 20만원의 저축여력이 생기잖아요?

성준 : 네, 신용대출은 바로 정리하겠습니다.

그리고 저, 보험도 정리할까 합니다. 너무 부담되서요.

선생님 말씀대로 기회비용을 계산해보니까 해지하는게 맞는것 같습니다. 2개인데 일단 하나만 정리하려고요.

그럼 보험료가 30만원에서 15만원으로 줄어듭니다.

기욱 : 그럼 벌써 대출이자에서 20만원, 보험료에서 15만원, 총 35만원을 세이브했네요.

휴대폰요금도 알뜰폰으로 옮기면 요금을 조금 더 낮출 수 있겠죠?

성준 : 네, 다음달에 약정이 끝나니 그것도 알아보겠습니다.

기욱 : 그리고 개인적인 생각으로는 식비랑 용돈도 조금 과한것 같습니다. 특히 용돈 50만원은 너무 과하지 않을까요?

성준 : 네, 여기서도 좀 줄여보겠습니다.

대출이자	-20만
보험료	-15만
휴대폰비	-5만
식비	-5만
용돈	-15만
총세이브	-60만

기욱 : 그럼 아까 총지출 330만원에서 60만원을 줄였으니 총지출은 270만원. 평균 월소득 420만원에서 270만원을 빼면 저축가능한 금액은 150만원, 소득대비 저축률은 36%가 됩니다. 저축률 36%도 높은 편은 아니지만 이렇게라도 도전해보면 좋을것 같아요.

성준 : 네, 저도 150만원 정도 저축은 생각하고 있었습니다.

부끄럽네요. 꼭 이 정도는 모을수 있도록 노력해보겠습니다.

기욱 : 만약 보험을 해지하면 해지환급금이 얼마나 될까요?

성준 : 알아보니 1,000만원 정도 될 것 같습니다.

나머지 하나는 800만원 정도 되고요.

연금상품 하나가 또 1,000만원 정도 됩니다.

기욱 : 음, 연금상품은 어떤 걸까요? 연금저축 맞나요?

성준 : 그런줄 알았는데.. 알고보니 변액연금이더라고요.

무슨 펀드로 투자되는 상품이라고 하는데..

증권사로 이전이 안된다고 하네요.

기욱 : 네.. 변액연금은 증권사로 이전이 안되죠.

변액연금은 말그대로 액수가 변한다는 의미에요.

투자수익률에 따라서 나중에 해지환급금이나 받을 수 있는 연금액이

달라지거든요. 꼭 어디서 어떻게 투자되고 있는지 확인해보세요.

성준 : 네, 알겠습니다. 얘도 사실 계속 유지하고 싶진 않은데

일단은 지금 해지하면 손해가 너무 크니까요..

당분간은 유지하다가 고민해보겠습니다.

기욱 : 네, 보험상품이 정리가 참 어렵지요.

그럼 일단 신용대출을 정리하고

보장성보험 하나를 해지했을 때 성준님의 자산을 정리해볼께요.

구분	기존	대안
보증금	1.3억	1.3억
예,적금	7,500만	2,500만
파킹통장	500만	1,500만
청약저축	340만	340만
보험	1,800만	800만
주식	2,500만	2,500만
변액연금	1,000만	1,000만
부채	15,000만	10,000만
순자산	11,640만	

기욱 : 일단 예,적금에 있는 돈으로 5천만원 신용대출을 상환하고 종신보험 하나를 해지한 돈, 1,000만원은 파킹통장으로 추가할게요. 파킹통장은 언제든 뺄 수 있는 수시입출금 통장이에요. 프리랜서시니까 이정도 현금이 비상금으로 있으면 좋을꺼에요.

현금성자산	5,140만	44%
투자자산	3,500만	30%
전세보증금	3,000만	26%

기욱 : 보장성보험은 현금성자산으로 포함하고 변액연금은 투자자산으로 포함했어요. 성준님의 재무계획에 맞게 주기적으로 리밸런싱 하면 됩니다.

성준 : 아, 실제 제 자산기준으로 보니까 또 느낌이 다르네요.

기욱 : 그렇죠? 곧 결혼하시니, 배우자 되실 분과 함께 이런 자산비중에 대해 고민해보면 좋아요. 결혼식 비용이나 신혼집에 너무 무리한 돈을 쓰지 않도록 주의하시고요.

성준 : 네, 여자친구와도 한번 이야기해보겠습니다.

기욱 : 혹시 재무계획은 좀 생각해보셨을까요?

단기	결혼자금, 전세자금
중장기	사업자금, 내집마련, 노후자금

성준 : 일단 1년후에 결혼예정이라, 너무 많은 돈을 투자할 순 없을 것 같아요. 중장기적으로는 사업자금을.. 장기적으로는 내집마련이나 노후준비도 같이 생각해야 할 것 같습니다.

기욱 : 그럼 저축과 투자의 비중에 대해서도 생각해보셨을까요?

성준 : 아무래도 결혼할 때를 대비해서 70%는 저축,

30%는 장기적인 미래를 위해서 투자를 하는게 낫지 않을까요?

〈월 150만원 포트폴리오 예시〉

저축	110만원	73%	투자	40만원	27%
100만	1년적금	1년	20만	변액연금	-
10만	청약저축	장기	20만	연금_ETF	장기

기욱 : 일단, 결혼을 앞두고 있기 때문에, 월 100만원씩은 은행 적금
이나 수시입출금 통장으로 모으시고요.

투자쪽으로는 지금 하고 있는 보험사 변액연금 20만원과
연금저축계좌에서 20만원씩 투자하는걸로 계획을 세워봤어요.

나중에 부담이 되지 않는 선에서 변액연금을 정리하게되면,
연금저축의 투자금액도 올리거나, ISA계좌로 5년 이상의 중장기 목
표로 투자하는 것도 방법입니다.

성준 : 네, 괜찮은 방법 같습니다.

기욱 : 주식계좌의 2,500만원은 어떻게 투자하고 계실까요?

성준 : 다 개별주식인데 수익률이 좋지 않아요.

선생님 말씀대로 인덱스투자쪽으로 옮기는게 맞는 것 같습니다.

기욱 : 만약 개별주식을 한 번에 다 팔고, 인덱스투자로 넘어가면 조
금 부담이 될 수 있으니까요.. 매월 50만원씩만 정리해서 인덱스투자
로 넘어가는게 어떨까요?

성준 : 매월 50만원씩이요?

기욱 : 네, 그러면 거의 4~5년동안 조금씩, 천천히, 개별주식에서 인
덱스투자로 자연스럽게 넘어가는거에요. 일종의 적립식투자를 응용
한거에요.

성준 : 아, 그런 방법이 있었군요

기욱 : 매월 150만원씩 저축과 투자를 잘 유지하고,
현재의 개별주식을 매월 50만원씩 정리해서 ISA계좌의 인덱스투자
로 옮겼다고 가정했을 때, 1년후 자산내역이에요.

구분	현재	1년후
보증금	1.3억	1.3억
예,적금	2,500만	3,700만
파킹통장	1,500만	1,500만
청약저축	340만	460만
보험	800만	800만
주식	2,500만	1,900만
변액연금	1,000만	1,240만
연금저축	없음	240만
ISA	없음	600만
부채	10,000만	10,000만
순자산	11,640만	13,440만

성준 : 와~ 이렇게 한 눈에 보니까 좋네요.
1년뒤 순자산이 1억3천만원이 되는거네요.

현금성자산	6,460만	48%
전세보증금	3,000만	23%
투자자산	3,980만	29%

기욱 : 네, 자산별 비중도 계산해볼께요.

1년뒤에 현금성자산과 전세보증금을 합치면 순자산의 70% 정도 되잖아요? 이 돈이 결혼식 비용과 신혼집 자금이 되는거에요.

물론 자산시장이 좋으면, 투자자산도 현금화해서 사용해도 되겠지만..

1년후 시장이 어떻게 될지는 누구도 알 수 없으니까요.

결혼할 때 결혼비용 및 신혼집 마련에 어느정도를 쓸지?

여자친구분과 진지하게 의논하면 좋을것 같아요.

성준 : 맞습니다. 그게 제일 중요할 것 같습니다.

기욱 : 만약 조금 더 돈을 투입해야 하면

그때가서 지금의 변액연금 해지도 한번 고민해보면 되겠죠?

그럼 결혼비용으로 쓸 수 있는 돈이 자산의 80%정도 되겠네요.

성준 : 아, 맞네요. 그것도 고려해보겠습니다.

월저축액	150만
현재자산	11,640만
3년후금액	17,040만
추가저축	960만
저축목표	18,000만

기욱 : 구체적인 저축목표금액도 한번 계산해볼께요

순수한 월 저축금액에서, 소득이 올라가면서 생기는 추가저축과
은행이자, 수익금 등을 모두 고려해서
3년후 순자산 1억8천만원을 목표로 하면 좋을것 같아요.
성준 : 와 이렇게 보니 또 의지가 생기는 것 같습니다.

기욱 : 여자친구분과 이런 재무적인 이야기들을 많이 해보세요.
서로 얼마나 모았는지? 재무계획의 우선순위는 무엇인지?
특히 두 분의 합산소득에서 매월 얼마나 미래를 위해 돈을 모으고,
투자할 것인지? 이런 대화를 자주 해야 해요.
각자 주머니를 따로 차고, 돈을 되는대로 쓰다 보면
결국 돈을 모으기도 힘들고, 나중에 "너는 왜 이것밖에 못 모았니.."
라는 생각치못한 갈등이 생길수도 있답니다.

성준 : 네, 저도 동의합니다.
여자친구와 같이 상담을 받을껄 그랬나봐요.
기욱 : 1년뒤에는 같이 신청해서 상담 받아보세요.
성준 : 네, 꼭 그렇게 하겠습니다.
선생님. 너무 감사합니다. 정말 도움 많이 되었어요!~

<성준, 중점사항>
1. 고금리의 신용대출부터 빨리 상환하기
2. 프리랜서에 맞는 소득 및 지출관리
3. 여자친구와 상의하여 결혼비용 및 자산배분 잘 관리하기

부록 : 도움되는 글 및 사이트

<돈의 심리학, 모건하우절> 책 요약글

 청년분들께 가장 먼저 추천드리는 책입니다.
돈관리와 투자는 수학이나 과학, 통계학이 아니라
역사와 철학, 심리학임을 깨닫게 되실겁니다.

< Just Keep Buying > 책 요약글

 두 번째로 추천드리는 책입니다.
부자로 만들어줄 단 3개의 단어. 단순한 방법이지만
장기적으로 최고의 투자전략이라 생각됩니다.

<통화량과 자산가격, 달러자산>

 통화량이 늘어난 이유과, 각국의 통화량 그래프,
그로 인한 자산가격의 변화까지 담아 봤습니다.
원화자산에만 투자하고 있는분들은 필독해주세요!

<행복한 파이어족>

 경제적자유를 이루기 위해서는 돈이나 수익률 이외에
다른것들이 더 중요할 수 있습니다.
경제적자유를 꿈꾸는 분들이 읽으면 좋을 것 같습니다.

\<ETF CHECK\> etfcheck.co.kr
다양한 ETF 들을 비교, 분석할 수 있는 사이트

\<펀드슈퍼마켓\> fosskorea.com
펀드를 비교, 분석, 가입할 수 있는 사이트

\<ETF DB\> etfdb.com
미국 현지 ETF 상품을 비교, 분석할 수 있는 사이트

\<리치고\> m.richgo.ai
부동산 관련 여러가지 데이터를 확인할 수 있는 사이트

\<포트폴리오 비주얼라이져\> portfoliovisualizer.com
자산배분별 과거수익률을 시뮬레이션을 할 수 있는 사이트

\<공포탐욕지수\> edition.cnn.com/markets/fear-and-greed
시장 참여자들의 공포 및 탐욕 수준을 알 수 있는 지표확인

\<경제지표\> ko.tradingeconomics.com
각국의 통화량, 환율 등 경제지표를 확인할 수 있는 사이트

2030 부의시작

발　행 | 2024년 02월 19일
저　자 | 설기욱
펴낸이 | 한건희
펴낸곳 | 주식회사 부크크
주　소 | 서울시 금천구 가산디지털1로 119 SK트윈타워 A동 305호
전　화 | 1670-8316
이메일 | info@bookk.co.kr
출판사등록 | 2014.07.15(제2014-16호)

ISBN | 979-11-410-7249-0

www.bookk.co.kr